CW00432303

CYFFES PABYDD

Cyffes Pabydd Wrth Ei Ewyllys

Harri Pritchard Jones

Argraffiad cyntaf—Chwefror 1996

ISBN 1 85982 208 1

ⓗ Harri Pritchard Jones

Cedwir pob hawl. Ni chaniateir atgynhyrchu unrhyw ran o'r cyhoeddiad hwn na'i gadw mewn cyfundrefn adferadwy na'i drosglwyddo mewn unrhyw ddull na thrwy unrhyw gyfrwng electronig, electrostatig, tâp magnetig, mecanyddol, ffotogopïo, recordio, nac fel arall, heb ganiatâd ymlaen llaw gan y cyhoeddwyr, Gwasg Gomer, Llandysul.

Dymuna'r cyhoeddwyr gydnabod cymorth Adrannau Cyngor Llyfrau Cymru.

Argraffwyd gan Wasg Gomer, Llandysul, Dyfed

Diolchiadau

Hoffwn ddiolch i olygyddion y cylchgronau neu gyhoeddiadau lle y cyhoeddwyd rhai o'r ysgrifau yma o'r blaen, am eu caniatâd parod imi eu cynnwys yma. A diolch hefyd i'r cyrff a'm gwahoddodd i'w hannerch, ac felly f'ysgogi i roi fy meddyliau ar glawr—er gwell neu er gwaeth!

Cynnwys

Rhagymadrodd

Canmlwyddiant cyhoeddi *Breuddwyd Pabydd Wrth Ei Ewyllys* gan Emrys ap Iwan oedd y cymhelliad imi gasglu, adolygu a llunio'r gyfrol hon. Mae hi hefyd yn nesáu at y cyfnod pan ragwelodd yr awdur Gymru yn wlad Gymraeg, rydd a Phabyddol eto! Go brin y gwelir gwireddu hynny yn yr hyn sydd ar ôl hyd 2012 OC, y flwyddyn a ragwelwyd yn y gwaith.

Ond daeth Pabyddiaeth yn fwy o rym yn y tir ar yr union adeg pan yw crefydd yn prysur edwino. Bu yma nifer o Babyddion amlwg, ac er bod y rhan fwyaf o Babyddion o ran cefndir ac anian yn teimlo braidd yn ddieithr yng Nghymru, yn enwedig yn y Gymru Gymraeg, mae pethau wedi newid.

Roedd fy nhad yn aelod o'r Hen Fam, fy mam o'r Hen Gorff, a minnau wedi bod yn aelod o'r Hen Ffydd y rhan fwyaf o'm hoes erbyn hyn. Ond o anffyddiaeth y trois i'n aelod o'r Eglwys Gatholig Rufeinig, a dydw i ddim yn siŵr hyd heddiw pam na sut y deuthum i gredu. Peth fel yna ydy ffydd, yntê, neu o leiaf peth felly ydy o i bobl fel fi.

Nid am fod fy ffydd i'n gryf na'm buchedd yn werth ei hefelychu mewn unrhyw ffordd y lluniais i hyn o gyfrol. Nid ychwaith am fod gen i ddysg ddiwinyddol, er fy mod yn mwynhau'r pwnc hwnnw'n fawr. Na, meddwl wnes i y buasai rhai o'm cydwladwyr, nad ydynt hwythau'n dra hyddysg mewn materion crefyddol neu ddiwinyddol, yn falch o weld sut mae Pabyddion yn meddwl ac yn credu. Neu o leiaf fel y mae un ohonyn nhw'n gwneud hynny!

Un ffactor bwysig sy'n peri dryswch a chamddealltwriaeth yn aml rhwng Pabyddion a Phrotestaniaid ydy'n ffordd wahanol ni o fynegi'n cred. Yn rhannol, mae hyn yn cael ei adlewyrchu yn y gwahaniaeth rhwng ffordd y byd Saesneg ei iaith a gwledydd Lladinaidd cyfandir Ewrop o drafod syniadau. Pan fydd yr Eglwys Babyddol yn cyhoeddi athrawiaeth neu'n dehongli neu'n pregethu, datgan pethau yn Blatonaidd y mae hi fel arfer; cyhoeddi'r delfryd ynghylch ymddygiad neu natur dyn.

Mae hi, wrth gwrs, yn ymwybodol o natur ffaeledig y ddynoliaeth, ond mae'n mynnu cyhoeddi beth sy'n bosib petai'r byd yma'n raslon berffaith. Nid rhagrith ydy cyhoeddi'r delfrydol, er na ellir ei gyrraedd: heb ei fai, heb ei eni, ar wahân i Mair a'i Baban. Yn y Gyffesgell ac wrth ei gwaith bugeiliol mae'r Eglwys yn gweini trugaredd, ac yn cydnabod yn ymarferol natur syrthiedig dyn. Ond does neb yn esgymun oddi wrth foddion gras gan yr Eglwys oni fo'n mynnu parhau i wrthod derbyn ei gymodi. Gwaetha'r modd, nid felly y bu hi ar aml gyfnod yn hanes yr Eglwys Babyddol, fel y gwyddom ni oll.

Oherwydd amgylchiadau cymhleth yn fy hanes, mi ges i yrfa a bywyd diddorol, od a hynod, a ffrwyth llawer o'r profiadau hynny a welir yma. Mae yma lawer o ôl fy mhrofiad o fyd salwch ac anabledd, o fyd y rhai sydd ar farw neu'n galaru. Mae ôl byw yn Iwerddon am ddeng mlynedd yma; ôl darllen llawer awdur o Babydd, yn enwedig Saunders Lewis a Graham Greene; ôl y traddodiad diwinyddol Cymraeg a geir yn ein hemynau ac sydd mor Ysgrythurol ei naws, a thipyn o ôl yr hen Fari Lewis yn ogystal.

Dydw i ddim yn honni bod yn uniongred ym mhopeth, ond ar y llaw arall, rydw i'n tybio fy mod i'n weddol agos ati ynghylch y rhan fwyaf o bethau a drafodir yma. A chyda diolch i'r Drefn, dydy'r Eglwys Babyddol ddim yn haeru bod ganddi'r ateb i bopeth! Mewn materion fel lle'r ferch yn yr Eglwys a materion disgyblaethol, megis atal cenhedlu, y gwelir fi'n gwahaniaethu fwyaf oddi wrth athrawiaethau swyddogol presennol Pabyddiaeth.

Gobeithio na fydd unrhyw Brotestant a ddigwydd ddarllen y llyfr yn teimlo imi wneud defnydd anghymwys o'r hyn y mae'n ei ystyried yn rhan o'i dreftadaeth. Drwy bopeth, parhaed brawd-garwch!

Harri Pritchard Jones

YR HANFODION

1 Natur Dyn

Mae'n anodd meddwl am well disgrifiad o'r hyn a olygir yn arferol wrth y gair 'dyn' na geiriau enwog Shylock yn *The Merchant of Venice* amdano'i hun:

Onid oes gan Iddew lygaid? Onid oes gan Iddew ddwylo, aelodau, synhwyrau, teimladau a nwydau? Onis porthir ag ymborth, onis clwyfir ag arfau, onis poenir gan afiechyd, onis iacheir â moddion, onis cynhesir ac onis oerir gan haf a gaeaf—yr un ffordd â Christion? Os clwyfwch ni, oni waedwn? Os gogleisiwch ni, oni chwarddwn? Os rhowch wenwyn inni, oni threngwn? Ac os gwnewch gam â ni, onis dialwn? (Cyf. J. T. Jones)

I raddau helaeth, disgrifio anifail o'r dosbarth uchaf o ran esblygiad a wneir yma: creadur â phedwar aelod a phum synnwyr, calon ac ymennydd, sy'n siarad a cherdded, symud a bwyta, tyfu a charthu'i sborion, yn ei atgynhyrchu'i hunan, ac fel anifeiliaid eraill o'r dosbarth mamalaidd, mae'n magu'i blant ar y fron—neu'n medru gwneud hynny. Dyna chi: *Homo Sapiens*—y Mwnci Deallus! Os fel rhywbeth ychydig yn uwch na'r llaid neu ychydig yn is na'r angylion y gwelwn ni le Dyn, rhaid inni i gyd gydnabod ei fod yn perthyn i fyd yr anifail. Agweddau biolegol arno a astudiwyd yn fwyaf arbennig gan y rhai a fynnai mai dim ond anifail yw dyn, ac mai dim ond esblygiad a'i creodd. Erbyn hyn mae Dyn yn bwnc astudiaeth llu o wyddonwyr o fath gwahanol, y Seicolegwyr. Mae'r rheini, ar y cyfan, ymysg y rhai sy'n honni nad bywyd yw bioleg. Eu maes llafur arbennig nhw yw lle a siâp ac adeiledd y meddwl holl bwysig. Cytunai Freud a Jung fod rhan o'r meddwl yn ymwybodol, a rhan, neu rannau, yn anymwybodol. Yno, tan yr wyneb megis, y ceid cof dyn, ac yn ôl Jung, cof ei hil yn ogystal. I rai seicolegwyr, synnwyr ychwanegol yw'r meddwl, yr un sy'n ymdopi â syniadau, yn dirnad pethau inni megis y mae'r synhwyrau eraill yn clywed neu'n teimlo. Ond mae seicolegwyr erioed wedi anghytuno, heb sôn am ymdderu, wrth ystyried y posibilrwydd fod yna Ewyllys sy'n rhan o'r meddwl, y gallu i ddewis. Cred llawer ohonynt nad oes gennym ewyllys rydd, fod popeth wedi'i arfaethu yn ein pridd, yn ein gwneuthuriad cemegol, genedaidd. Fel y dywedodd Burton yn yr 17eg

3

ganrif, yn ei waith *Anatomeg y Felan*: 'Mae dim ond anhwyldeb bach ar yr ymennydd . . . yn ddigon i awgrymu Ysbrydion, Engyl a Chythreuliaid, Gweledigaethau a Hanesion am Nefoedd ac Uffern i'r dychymyg.' Mewn geiriau eraill, credant mai anifail greddfol yw dyn. Mae gwŷr fel Eysenk a Dawkins heddiw yn gogwyddo at yr athrawiaeth hon, er yn fodlon cydnabod fod dylanwadau o'r tu allan, a dewisiadau'r dyn ei hun hefyd, yn chwarae rhyw ran yn hanes pob un ohonom. Er gwaethaf y gwyrdroadau gwrth-hiliol a geir ar ddysgeidiaeth Eysenk, mae'n sicr fod gan y tueddfryd meddwl hwn lawer i'w gyfrannu at ddealltwriaeth Dyn o'i gyfyng-gyngor. Os oes yna'r fath beth ag ewyllys rydd, yna mae iddi lyffetheiriau a chyfyngiadau lu. O gydnabod unrhyw elfen o ddewis, ar y llaw arall, rhaid rhag-weld dyletswydd foesol, fod yna reolau.

Mae'n debyg fod y rhan fwyaf o seicolegwyr yn cydnabod, fel y gweddill ohonom, fod yn y meddwl dynol beirianwaith a'n galluoga i ddewis, boed hwnnw'n cael ei alw'n Uwch-ego, Ego, neu Bersonoliaeth. Rhywbeth sy'n ein galluogi neu'n ein gorfodi i dderbyn neu wrthod neu newid awgrymiadau neu gynyrfiadau sy'n dod inni o'r tu allan neu o'r tu mewn. Yr ydym yn medru rheoli, i ryw raddau, ein hymateb i unrhyw gyffroad neu gymhelliad. Os ewyllysiwn hynny, medrwn hybu neu lesteirio adwaith naturiol megis tynnu llaw oddi ar fetel poeth. Y mae inni radd o ryddid, o ewyllys rydd, er na ddefnyddiwn hi'n wastadol. Adweithiau greddfol neu gyflyredig yw cymaint o'n gweithredoedd, o yrru car i weu. Ond hyd yn oed gydag adweithiau o'r fath, yr ydym yn medru eu hatal neu'u newid os byddwn ni am wneud hynny. Gweithred ymwybodol fydd hynny fel arfer, ond fe allwn ewyllysio'n anymwybodol, hyd yn oed, er bod dewisiad o'r fath bron yn ddieithriad yn tarddu o weithred ymwybodol flaenorol. Dyna werth ymarferion ysbrydol, yn ôl y Crefyddwyr, sef cyflyru'r isymwybod yn ôl yr ewyllys, i ddylanwadu ar y greddfau a'r adweithiau pan na fo siawns i'r meddwl ymwybodol wneud hynny, megis pan fo personoliaeth wedi ei hysigo gan brofedigaeth. Math o hunan-gyflyriad yw'r peth.

Fel arfer, cyn dewis ffordd o weithredu, neu lwybr o weithredoedd, mae dyn am gael gwybod rhywbeth am y gwahanol bethau a gynigir, ac am y sefyllfa gyffredinol. Rhaid dysgu plentyn fod dŵr poeth yn dda i ysu crawn o gornwyd cyn y gellir disgwyl iddo ddewis llethu ei adwaith greddfol a dal bys llidiog mewn llestr o

4

ddŵr poeth. Wrth ddewis, rhaid inni ddirnad natur y dewis, drwy gofio neu geisio deall a dirnad o'r newydd. Dyna beth yw ystyr goleuo'r deall, ac mae'n rhan gyfochrog o'r broses o ddewis, gyda'r gweithgarwch ewyllysiol. Fe ddewisir, ac fe ddilëir wrth ddewis, a dysgu rhywbeth ar gyfer sefyllfaoedd cyffelyb yn y dyfodol. Yn hyn, eto, yr ydym megis anifeiliaid o radd uchel, hyd yn oed pan ddewiswn wneud rhywbeth yn erbyn ein lles ein hunain, gan y gwelir mamau nifer o greaduriaid yn wynebu peryglon er mwyn eu hepil.

Rhaid ystyried beth, os rhywbeth, sy'n ein neilltuo oddi wrth anifeiliaid cyffredin. Cred llawer ohonom mai'r gallu i ddychmygu, i ddyfalu a synio, creu syniadau a meddyliau a phatrymau na ddysgwyd mohonynt gan eraill, yw'r nod amgen. Hynny, er i'r syniadau a'r patrymau fod namyn amrywiadau ar y rhai oesol. Rhaid cydnabod fod Dyn, os nad yw'n grëwr, yn lluniwr o leiaf. Gall greu a defnyddio celfi megis iaith a sŵn a chŷn i lunio gweithiau o gelfyddyd. Ond cyfynga David Jones ran Dyn i'r llunio, gan gydnabod elfen fawr o'r damweiniol yng ngwneuthuriad popeth a lunnir gan ddyn, yr hyn y bydd yr artist yn ei gywain wrth ymwneud â'i ddefnydd. Yn wir, fe â David Jones mor bell â dweud nad creu, ond yn hytrach darganfod y mae artist. Os derbyniwn y syniad hwn, neu, ar y llaw arall, os cytunwn â Gwenallt: 'Pan beidiodd Duw â chreu, fe grëodd yr artistiaid . . .', fe gytunwn oll fod y gallu i lunio neu i greu pethau yn hanfod yr hil ddynol.

Ond a yw hynny'n nod amgen pob creadur o ddyn neu ddynes? Go brin fod pob un ohonom â'r holl briodoleddau a grybwyllwyd: y gallu i gofio a dirnad, penderfynu a llunio gweithiau o gelfyddyd, fod inni bedwar aelod a'r gallu i'n hatgynhyrchu'n hunain. A ydym oll yn ymwybodol o'n gorffennol ac yn sylweddoli fod gennym allu i ddylanwadu rhywfaint ar ein dyfodol drwy ymarfer ein cof a'n deall a'n hewyllys?

Yn sicr ddigon, nid oes gan bob un ohonom bedwar aelod a phum synnwyr, er bod gan bob un ohonom ymennydd ac o leiaf galon blastig neu fetel. Nid pob un sy'n medru siarad na'i atgynhyrchu'i hun. Nid oes gan bob un ohonom gof iach, yn enwedig y rhai hŷn a methedig, ac mae llawer ohonom â nam corfforol neu emosiynol, neu ddiffyg o ran gallu i ddeall a dysgu. Prin iawn yw galluoedd meddyliol a chorfforol y rhai sy dan anfantais meddwl dybryd, ac sydd yn aml â nam corfforol difrifol yn ogystal. Gall rhai o'r rhain ymddangos megis llysiau i'r rhai nad ydynt yn eu hadnabod, o'u cymharu â'r hyn a elwir yn 'ddyn cyffredin'. Ychydig iawn, iawn o allu i ddirnad a dewis sy gan lawer o'r creaduriaid hyn, ac fe omeddir iddynt unrhyw hawl i wneud cytundeb, megis hur-bwrcas, priodi, pleidleisio neu wneud ewyllys, o'r herwydd. Ar y llaw arall, onid yw'n wir mai ychydig iawn ohonom ni, y rhai a ystyrir yn normal, yn ddynion cyffredin, sydd â pherffaith ryddid i wneud yr hyn y dymunwn ei wneud? Os collodd dyn ei goesau neu'i glyw neu'i olwg, yna fe lyffetheiriwyd rhywfaint ar ei ewyllys a'i ddeall. Gall magwraeth greulon neu anghyflawn wneud yr un peth, fel y gall rhyw elfen gemegol neu enedaidd yng ngwead dyn ei yrru i ymollwng i gyffuriau neu frwysgedd. Prin y credai neb erbyn hyn, y tu allan i'r *Primrose League*, fod pobl o'r fath yn llwyr gyfrifol am eu hymddygiad, nac â gweledigaeth gytbwys o sut le sydd ar yr hen ddaear yma. Blinodd y rhan fwyaf ohonom ar *rigwm yr absoliwt*. Yn sicr ddigon, nid oes gyfatebiaeth syml rhwng galluoedd corfforol, meddyliol neu ddeallusol dyn a'i ymddygiad moesol.

Mae'r rhan fwyaf ohonom, felly, wedi'n ffurfio a'n llunio fel personau gan ein cyfansoddiad cemegol i raddau, i raddau gan yr hyn a etifeddwyd gennym drwy'n cromosomau, ac yr ydym yn ogystal yn gynnyrch ein haddysg a'r hyn a ddysgwyd gennym yn anymwybodol, drwy osmosis, ar yr aelwyd, lle y dysgir iaith a thraddodiadau a chyfran o'n diwylliant. Fe'n dysgir mewn ysgol ac o fewn ein cymdeithas hefyd, ond yr ydym yn llywio'r holl broses ein hunain i ryw raddau. Mae llawer o ddwylo wrthi ar ein clai, gan gynnwys ein rhai ni ein hunain, ond mae ansoddau'r clai o bwys mawr hefyd. Nid cynnyrch cartref annedwydd neu anghyflawn mo pob troseddwr, o bell ffordd.

Yr hyn a gynhyrchir yw unigolyn, person dynol ar wahân, ac eto mewn cyfathrach hanfodol â'i gyd-ddyn, yn fyw ac yn farw, a chyda'r byd byw a difywyd o'i amgylch. Nid darn o grochenwaith ydyw. Mae'r gyfathrach â'r byd tu allan iddo ef, a'i gyneddfau ei hunan yn ei newid o funud i funud, o flwyddyn i flwyddyn, weithiau'n raddol, dro arall ar garlam, ac weithiau'n sylfaenol, nes iddo gyrraedd tynged pob un ohonom. Er inni synio am bobl fel pobl o ryw hil, lliw, grŵp ethnig, dosbarth cymdeithasol, iaith, diwylliant neu grefydd arbennig, yr ydym yn trio meddwl amdanynt hefyd fel personau, fel unigolion â phersonoliaeth unigryw ganddynt. Pobl sydd yn amlwg yn ddynol fel y gweddill ohonom, ond sydd hefyd â rhai priodoleddau arbennig megis bod yn fwy neu lai dewr neu ofnus na'r rhelyw, yn fwy neu lai mawrfrydig neu farus neu greulon, neu ostyngedig neu ddeallus neu dwp.

I ddod yn ôl at Shylock, hwyrach mai yn llinell olaf ei araith enwog y daeth ef agosaf at ddisgrifio un hanfod dynol, a hynny yw'r gallu i gyfathrachu a ffurfio perthynas ag eraill: i berthyn i ddynion eraill, ac ar raddfa lai, i le a phethau ac amser. Cofiwn eto am y creaduriaid yna dan anfantais meddwl dybryd, sydd fel llysiau yn gorwedd yn anghynhyrchiol gydol eu hoes mewn ysbytai anhygyrch, cudd i raddau. Mae llawer o'r bobl sy'n dod yno i weithio, a llawer o blant ysgolion uwchradd sy'n ymweld â'r llefydd hyn am y tro cyntaf, yn cael eu cyffroi yn arw. Fel arfer, tosturi yw'r teimlad llywodraethol, ond bod rhyw gyfran fechan ohonynt yn teimlo fod y cleifion hyn yn wrthun, er bod y gwrthuni'n rhan o ymateb greddfol bron pob un ohonom. O'r gyfran fechan yna fe geir lleiafrif i awgrymu mai ewthanasia yw'r ateb i'r broblem. Ambell un yn awgrymu hyn am ei fod yn gweld y creaduriaid hyn yn is-ddynol ac yn anghynhyrchiol, yn dda i ddim i felinau cyfalafiaeth neu gomiwnyddiaeth. Rhai eraill wedyn yn poeni am y gost o gadw'r bobl hyn yn fyw ac yn weddol gysurus. I'r rhai hyn, er na chydnabyddent hynny, cymdeithas hunan-les ddylid ei chreu ar y ddaear yma, i'r ifanc iach, deallus. Mewn meritocratiaeth, pa le sydd i ynfydion efrydd? Neu'r hen musgrell, o ran hynny?

Pan godir cwestiwn ewthanasia gan ddyfodiad i ysbytai hirglaf, i'r rhai dan anfantais dybryd a'r henoed, teimladau o dosturi a thrugaredd sy'n ei ysgogi fel arfer. Eto nid oes ond angen ichi ofyn i aelod cyffredin o'r staff, nad ydynt fel arfer yn coleddu unrhyw grefydd neu athroniaeth bywyd arbennig, beth maen nhw'n ei feddwl am y fath ateb terfynol, ichi weld eu bod bron yn unfryd yn eu gwrthodiad ohono. Nid ydynt am weld lladd y creaduriaid truenus hyn am y rheswm syml eu bod yn eu hadnabod fel personau dynol bob un. Fe wyddant beth yw enw pob un, beth yw ei briodoleddau, ei hoff fwyd a'i gasfwyd, y medrir ei frifo neu'i gysuro neu'i ddifyrru, y medrir gwneud i'r truan wenu neu wgu, y medrir ei adnabod. Oherwydd fe ŵyr y nyrs y gellir ffurfio perthynas â hyd yn oed y rhai mwyaf erchyll eu nam, y rhai sydd bron heb na chrebwyll na dirnadaeth, heb aelodau na synhwyrau, yn ddall, mud a byddar a'u cyrff wedi eu clymu'n hurt. Mae hyd yn oed y rhai hyn o'n plith yn perthyn. Onid yw'r gallu hwn i ffurfio perthynas, o gariad, o gasineb neu ddibyniaeth, yn hanfod dynol arall? Yn wir, onid yw'n fwy hanfodol na'r gallu i greu neu lunio pethau? Wrth reswm, mae gallu i ffurfio perthynas ynddo'i hun yn beth creadigol, yn estyn teyrnas gras, yn estyn ffiniau'r bydysawd, ac felly'n perthyn yn agos i'r gallu creadigol a welai David Jones yn nod amgen dynoliaeth.

Mae rhai hanfodion megis yn eiddo dynion o fewn cymdeithas â'i gilydd. Rhannau o gymdeithas yn cyflawni dyletswyddau ar ein rhan ni oll, boent lafur, celfyddyd, astudio'r sêr, nyrsio'r claf neu weddïo. Ond mae pob un creadur dynol, mi dybiwn i, yn gallu ffurfio perthynas â rhyw greadur dynol arall. Mae rhai o'r perthnasau hyn yn cyflawni swyddogaethau ar ran cymdeithas, yn ogystal â thros y ddeuddyn neu'r teulu o fewn y berthynas. Gall priodas nid yn unig weddnewid deuddyn, gorff a meddwl, ac asio dwy ewyllys nes cydweithredu yn y wyrth o genhedlu plentyn a'i fagu, ond hefyd gynnal cenedlaethau hŷn ac iau a gweu dynion yn gymdeithas. Peth creadigol, os llai defodol, yw hi i nyrs droi lwmp o gnawd yn dalp o bleser o bryd i'w gilydd, wrth roi iddo ei hoff fwyd neu wrth gosi ei glust.

Nid perthynas â dynion eraill yw'r unig un sydd gan ddyn, wrth reswm. Mae ganddo berthynas greadigol ag ef ei hun, fel y nodir yn graff yn y dywediadau 'colli arno'i hun', a 'dod ato'i hun'. Mae dyn i raddau yn ei greu ei hunan o'r newydd yn feunyddiol, yn ei adnewyddu ei hunan, gell wrth gell, yn gwrthod ac yn cwffio rhannau o'i bersonoliaeth, ac yn ceisio ymdebygu i ryw ddelfryd o'r hunan yn ôl ewyllys a chydwybod, drwy swcro rhannau eraill. Gall, ambell waith, ei weddnewid ei hunan a gwisgo dyn newydd drwy'r hyn a alwai Kierkegaard yn weithred greadigol, gweithred o dröedigaeth, os gwnawn le i ras ynddi.

Nid brwydrau neu wrthdrawiadau rhwng gwahanol rannau o'r dyn ei hun yw'r rhain chwaith. Fel undod y gweithreda pob dyn bob amser, er i'r elfennau newid o funud i funud. Mewn unrhyw weithred daw ewyllys dyn â'i ddeall gyda hi, a'i holl hanes, ei holl gorff, o fodiau'i draed i'w dalcen, ei holl gyneddfau a'i brofiad, yn ogystal â'i ddelfrydau a'i egwyddorion. Fel person y gweithreda, rhywun a all ddweud *Myfi* neu *Fi*. Ac o ddweud hynny, fel y dangosodd y meddyliwr crefyddol Iddewig, Martin Buber, fe all ddweud *Tydi* neu *Ti*. Yn y berthynas yna yr ydym yn

8

ein datgelu ein hunain fel personau, i'r llall ac i'r hunan. Gallwn gyfathrachu yn emosiynol a chyfnewid nid yn unig deimladau, ond hefyd gyfnewid bod. Yma y gwneir y weithred greadigol, ond yma hefyd y gall Myfïaeth ein rhwystro rhag dweud *Ti* o lwyrfryd calon. Anghyflawn yw'r berthynas bob amser yn hanes dynion.

Wrth reswm, fe ellir trafod pobl fel pethau; fel *fo* neu *fe* neu *hi*, neu *nhw*, neu hyd yn oed *y peth yma*. Dyna ddull gweinyddwyr o siarad am bobl, o drafod pobl y gwyddant amdanyn nhw heb eu hadnabod, dull y cyfrifiadur, a'r Phariseaid. Trafod pobl yn union yr un fath, beth bynnag fo'u gofynion neu'u priodoleddau, fel sefydliad yn lle fel unigolion anfeidrol eu maint o bosib. Dyna pam mae sefydliadau mawr yn lladd cymdeithas, yn anfwriadol, fwy neu lai, heb sôn am yr hyn a wnaed i'r Iddewon a chaeth-weision duon gan weinyddwyr sefydliadau gwladwriaethol, a oedd yn eu galw'n *Nhw*. Y mae hi'n anodd cynnal a meithrin perthynas â phobl sy'n bell, a dylid hybu bychander er mwyn dynoli'n sefydliadau, er mwyn 'cadw Cymraeg' rhwng dynion, er mwyn eu hatal rhag eu hysgaru eu hunain oddi wrth deulu dynion. Er mwyn priodas, dylai deuddyn geisio dioddef uffern ar y ddaear, hyd yn oed, er mwyn cynnal plant a rhieni, câr a chyfathrach, o fewn rhyw berthynas, wael neu wych, â'i gilydd ac â chymdeithas dynion. Os y cenedlaethau sy'n ein rhaffu at ein gilydd drwy'r oesoedd, priodas sy'n croesweu'r tapestri dynol. Oddi mewn i hwnnw y deuwn â'r byd cyfan o anifeiliaid a phlanhigion, cerrig a môr, dŵr a thân, i gyd i wasanaethu dynion pan ddisgyblir nhw ganddynt.

Er mai â dynion eraill y ffurfiwn ni berthynas, gan amlaf, mae lle i gredu fod gennym hefyd berthynas â rhyw Fod uwch yn ogystal. Nid dim ond ffydd y crediniwr sy'n arddangos hyn. Mae'r seicolegydd Piaget wedi dangos fod plant yn datblygu synnwyr moesol, sy'n fwy na dim ond ôl cyflyru yn ôl safonau cymdeithas. Mae plant yn dod i synhwyro fod rhyw bethau yn iawn a rhai eraill yn aniawn (nid dim ond fel *Da/Coch* a *Drwg/Glas* Bertrand Russell). Deallant y dylent wneud hyn a'r llall a pheidio â gwneud pethau eraill. Mae'r synnwyr yn gydwybod iddynt, yn ymwybyddiaeth y gellir ei feithrin neu'i mygu. O dderbyn bodolaeth cydwybod fel hyn, gwelir fod hanfod aruchel cyffredin i bob dyn; hanfod moesol. Gall gofynion y gydwybod yma arwain dyn i weithredu'n gwbl groes i'w natur reddfol. Yr ydym oll yn gweithredu yn erbyn ein

9

greddfau a'n hadweithiau cyflyredig weithiau; yr ydym yn byw bywyd goruwchnaturiol ar adegau o leiaf. Mae llawer ohonom, ar y llaw arall, yn byw yn fwy yn erbyn ein synnwyr moesol nag yn unol ag ef. Y mae i ddynion hanfod iselradd hefyd, ein pechod gwreiddiol, fe ddywedwn ni. Chwedl Gwenallt:

> Pan dynnwn oddi arnom bob ryw wisg,
> Mantell parchusrwydd a gwybodaeth ddoeth,
> Lliain diwylliant a sidanau dysg,
> Mor llwm yw'r enaid, yr aflendid noeth:
> Mae'r llaid cyntefig yn ein deunydd tlawd,
> Llysnafedd bwystfil yn ein mêr a'n gwaed,
> Mae saeth y bwa rhwng ein bys a'n bawd
> A'r ddawns anwareiddiedig yn ein traed.

Brwydra'r ddwy dueddfryd ynom yn wastad, yr ymwybod moesol a'r dyhead am yr hyn a ddylai fod, ar y naill law, a'r pechod gwreiddiol, y crac yn ein cread, ar y llaw arall. Ond wrth dyfu fe allem, petai yna'r fath beth â Duw hollalluog a chyfiawn, ffurfio perthynas gynhaliol ar draws ffin amser a meidroldeb. O feithrin y berthynas a impid ganddo arnom adeg bedydd, a chofio'n Creawdwr ym melrawd ein hieuenctid ac adeiladu ar hynny, gellid ystumio digon ar y greddfau i gynnal rhyw fath ar ymbalfalu ar draws y ffin hyd yn oed fel y dynesai marwolaeth mewn henoed crin. Wrth ddweud *Ti* wrth *Ein Tad* gallem ddod yn frodyr i'n gilydd, ac ymwneud â pherson hollol deilwng o'n holl fryd, gallem golli'n Myfïaeth ynddo, a'n darganfod ein hunain drwyddo. Byddai ei adlewyrchiad yn ein cyd-ddyn yn goleuo'n perthynas â'n gilydd, ac yn wrthrych teilwng o'n holl fryd. Pe bai modd credu fod *Identikit* o Dduw fel yna'n bod, uffern yn wir fyddai troi cefn arno, a lladd y berthynas drwy bechod. O golli Duw o'r fath, uffern yn wir fyddai pobl eraill.

Mae Duw y Cristion yn berson ac yn berthynas ynddo'i hun: yn Dad a Mab yn byw mewn Cariad perffaith, sef yr Ysbryd Glân. Drwy berthyn iddo Ef, cyfrannem o'r cariad yma, a thrwy gyd-weithredu ag Ef, deuai popeth ar yr holl ddaear yma'n gysegredig, a gellid gweddnewid darnau o bridd yn gyrff gogoneddus. Drwy berthyn i Dduw, fe allai dynion fel ni wneud synnwyr o'r holl gread yma, a'n cyflawni'n hunain am byth drwy 'dragwyddol syllu ar y Person a gymerodd natur dyn'.

(Darlith i gynhadledd y Mudiad Addysg Gristnogol)

10

2 Beth yw Teulu?

'Duw, cariad yw.' Dyna'r adnod gyntaf y mae'r rhan fwyaf ohonom ni'n ei dysgu oddi ar wefusau'n rhieni, neu felly yr oedd hi pan oedd Cymru'n wlad Gristnogol. A phryd hynny, yr oedd yna fri ar y teulu. Tybed felly nad oes cysylltiad rhwng Cristnogaeth a'r teulu fel sefydliad? Mae'n wir, wrth reswm, fod teuluoedd yn bod yn bell, bell cyn dyfod Crist i'n byd ni. Mae'r teulu'n sefydliad naturiol ers cychwyn hanes dyn, a bron pob un ohonom â phrofiad o fod yn aelod o un. Cysylltir y teulu â dedwyddwch gwŷr a gwragedd—ers dyddiau gardd Eden—ond hefyd mae'n gysylltiedig ag ymgeleddu'r hen a'r plant, ac â chreu a magu dynion a merched newydd.

Os cwympodd dyn a dynes oddi wrth ras y Cariad a'u gwnâi'n ddedwydd gynt, y maent yn dal i chwilio am eu Heden drist, ac yn cael hyd i'r ffordd ati drwy Iesu Grist a'i ddau orchymyn inni i garu Duw a charu'n cyd-ddyn. A'r ffordd arferol o ufuddhau i'r ddau orchymyn ydy caru'n gilydd: 'yn gymaint ag i chwi ei wneud i un o'r lleiaf o'r rhain, fy mrodyr . . . '

Dysgodd Duw ni sut i garu drwy anfon ei unig-anedig Fab i farw drosom ac i faddau'n camweddau, a dysgodd y Mab ni mai aberthu'r hunan dros eraill, heb ddisgwyl dim byd o gwbl yn ôl ydy hanfod cariad. 'Mae yna gariad i'w gael nad yw'n ddigonol, onid yw doed a ddelo, yn gariad gormodol,' meddai Rhydwen Williams am ei gyfaill Kitchener Davies.

Wrth reswm mae Duw am inni garu pawb, pob un ymhell ac agos, pa mor annheilwng bynnag y bo, boed Roegwr neu Iddew, boed Gymro neu Sais. Ond rhaid cychwyn yn agos adref, gyda'r rhai yr ydym yn eu hadnabod, nid dim ond â'r rhai y gwyddom amdanyn nhw. Nid am fod hynny'n haws—'nes penelin nag arddwrn'—ond am mai o fewn cwlwm perthynas agos y dysgwn ystyr *perthyn*, ei gyfrifoldebau yn ogystal â'i bleserau a'i freintiau, a dysgu sut i ffurfio perthynas â phobl eraill. Dysgu sut i garu drwy dderbyn cariad yn gyntaf a wna plentyn mewn teulu cyffredin, ac wedyn o fewn teulu ehangach. Y peth cyntaf sy'n arfer digwydd wrth sefydlu teulu newydd ydy fod mab a merch yn syrthio mewn cariad, ac er iddyn nhw gael eu pryderon a'u gofidiau ynghylch eu cyflwr, mae'n gyfnod hyfryd o 'wynfyd serch; penyd nefolaidd mab a merch,' chwedl Elfed. Mae'r ymserchu yma'n beth hollol wahanol i ffurfio cyfeillgarwch. Mae hefyd o natur wahanol i berthynas â rhieni neu â brawd neu chwaer. Mae ynddo elfen emosiynol neu deimladol gref iawn, sy'n ein corddi ni hyd at wreiddiau'n bod, ac yn gallu trawsnewid personoliaeth rhywun. Mae'r reddf sy'n ein denu at ein cariad, sy'n helpu i gynnal perthynas am oes—'er gwell, er gwaeth,'—yn un sydd hefyd yn gallu chwalu teuluoedd ac amddifadu plant o gariad rhiant. Y reddf honno ydy'r un rywiol. Greddf rymus y tu hwnt, a holl bwysig ym mherthynas pobl â'i gilydd. Ynddi hi y mae'r egni sy'n gyrru'r had drwy'r pridd, a'r blagur drwy'r gangen. Dyna'r reddf sy'n galluogi Duw i greu personau dynol newydd sbon o ewyllys ac o elfennau cnawd gŵr a gwraig. Y reddf sy'n ein galluogi, yn ei 'wallgof wŷn,' i orfoleddu yng ngogoniannau'n cyrff a'u troi yn foddion gras; troi bywyd yn sagrafen, yn sacrament.

Y mae'r reddf rywiol ar ei gorau'n rym creadigol, yn ffynhonnell boddhad mawr a llond lle o hwyl. Ar yr hen ddaear yma y mae'n anochel mai drwy weithredoedd corfforol yn bennaf y gweithredir cariad, drwy estyn pethau i'n gilydd, rhoi braich i gloff, gwneud paned neu bryd i rywun, gofalu am blant ac am y llesg a'r claf, mynychu priodasau, bedydd ac angladdau, yn ogystal â thrwy weithredoedd rhywiol. Y mae priodas yn fodd i ddwyn cariad i mewn i berthynas gŵr a gwraig, i'w hatal rhag mynd yn ddim namyn trefn i hunan-foddhau ar y cyd. Mae'n estyn posibiliadau eu perthynas hyd at eithaf galluoedd dynol.

Ar ei gwaethaf, y mae perthyn a byw mor agos at ei gilydd ag y gwna aelodau teulu mewn cartref yn gallu bod yn uffern ar y ddaear, chwedl y Ffrancwr Jean-Paul Sartre am 'bobl eraill'. Mae eisiau gras, sef cariad mwy nag un dynol, arnom ni i gyd, yn enwedig er mwyn byw gyda ni. Ond o gael y cariad dwyfol yna, fe all bywyd teulu fod yn nefoedd ar y ddaear. Fel Eden gynt, yn adlewyrchu'r Drindod, yn undod clòs anhygoel, ond heb ddileu na bychanu'r personau sy'n rhan ohono. Y mae priodas yn arwain at 'ddau enaid mewn un cnawd'. Yn wir, o fewn teulu y dysgwn adnabod ein hunain a dod, chwedl Martin Buber, i allu dweud *Fi* wrth ddysgu dweud *Ti*. Nid mewn unigrwydd rhyddid di-gyfrifoldeb y mae magu cymeriad.

Soniwyd uchod am ddau gariad yn ymserchu yn ei gilydd, neu'n syrthio mewn cariad. Ond nid yr un peth yn union ydy'r

12

ddau. Y wefr felys gyntaf, megis, ydy serch. Fe ymserchodd llawer ohonom ni fwy nag unwaith, ond go brin yr adeiledir cariad mwy na rhyw unwaith. Cariad ydy'r hyn sy'n angenrheidiol i gynnal perthynas gŵr a gwraig ar ôl yr hwyl a'r sbri, y dyweddïad, y briodas a'r mis mêl a'r hwyl wrth sefydlu cartref. Ar ôl i wefr yr ymserchu bylu, os nad darfod, fe ddaw serch o'r tu allan, megis, ond mae'n rhaid wrth ewyllys mab a merch a chymorth gras i'w droi'n gariad. Fe geir cymorth a chynhaliaeth pobl eraill, ond mae'n rhaid wrth ymroddiad y ddau ganolog os ydy'r berthynas i barhau a thyfu. Pa les disgwyl budd heb fuddsoddi? Ond dyna a wneir mor aml gennym. Er mor boblogaidd ydy priodas o hyd, er mor llawen ydy'r wynebau yn y lluniau priodas sy'n britho'n papurau lleol, er cymaint y sôn am wynfyd serch yn ein caneuon poblogaidd, fe anghofir fod yn rhaid wrth lafur cariad er mwyn creu a chynnal unrhyw beth o werth mewn bywyd. Dydy gardd ddim yn ei chwynnu a'i gwrteithio'i hun, ac nid dileu gofid a chystudd ac anhwylder y mae cariad, ond creu cynhaliaeth a dedwyddwch er gwaethaf tlodi, 'yn glaf ac yn iach'. Ffrwyth llafur cariad ydy pob dedwyddwch, a dydy o ddim i'w gael drwy ymblesera fwy nag y ceir cawg o aur wrth droed yr enfys—dim ond plant bach sydd â'r hawl i gredu fel'na.

Mae perthynas gŵr a gwraig briod yn berthynas hollol unigryw. Dim ond gŵr a gwraig a all dreiddio i'w gilydd yn ddiatalnwyd, gorff a meddwl ac enaid. Mae'n wir fod cyfnodau hesb ac anodd ym mhob priodas, fod gwrthnysigrwydd yn ymyrryd â'r berthynas orau, am mai meidrolion ydyn ni. Ond y mae posibiliadau'r berthynas yn anhraethol. Mae rhai yn honni mai'r grefydd Gristnogol sydd wedi rhwystro parau rhag cyrraedd y fath undod a dedwyddwch yn gyffredinol, mai ffrwyth cyflyru gan grefydd ydy euogrwydd y rhai sy'n 'cam-ddefnyddio' rhyw; mai bai crefydd ydy'r seithucod sy'n amlwg ym mywyd rhywiol cymaint o bobl erbyn hyn ac yn eu gyrru i chwilio am ddulliau rhyfedd ac ofnadwy i foddio'u chwant. Ar grefydd y rhoddai Freud y bai, ac mae'n hen ddamcaniaeth ramantaidd y byddai pobl yn ddedwydd pe caen nhw lonydd oddi wrth athrawiaethau a chrefyddau ac ofergoelion o'r fath. Ond mae yna ddoethineb hŷn na Freud a phob rhamantiaeth, sy'n dal fod ar ddyn angen sefydliadau i gynnal a meithrin ei natur orau, i'w ddiwyllio a llethu'r bwystfil sydd ynddo. Mae angen teulu a chyfeillion arnom ni yn ein munudau gwan a'n cyfnodau o bruddglwyf, heb sôn am ein mynych brofedigaethau a themtasiynau. Dydyn ni ddim yn llwyr alluog i wneud yr hyn yr hoffem ni ei wneud. Y mae ynom duedd o'n crud i fod yn anwadal, hyd yn oed ynghylch y pethau a'r bobl sydd bwysicaf yn ein bywyd, tueedd i fod yn hunanol, i geisio hunan-foddhad ar draul eraill, a hyd yn oed ar draul ein budd parhaol ein hunain. Y mae priodas yn sefydliad sydd yn gallu cynnal ein breichiau, ein cadw ni at addewidion pwyllog a doeth a da a wnaed gynt yng ngŵydd teulu a chyfeillion.

Ystyr priodas i'r Eglwys heddiw, fel drwy'r oesoedd a fu, ydy bod gŵr a gwraig, o'u gwirfodd, yn ymrwymo mewn cariad i'w gilydd am byth: cyfamod yng ngŵydd Duw ydyw. Trimins ydy gweddill y seremoni a'r dathlu. Pe bai'r ddau gariad ar ynys unig, heb neb arall ar gael, byddai ymrwymiad o briodas ar eu rhan lawn mor ddilys â phe baen nhw'n ei wneud mewn addoldy ysblennydd o flaen gweinidog neu offeiriad, ac yng ngŵydd llu o berthnasau a chyfeillion—er pwysiced y rheini. Dim ond o fewn rhwymyn cyfamod cyfrifol ac arwrol o'r fath y mae gennym unrhyw hawl i ymyrryd yn sylfaenol â phersonoliaeth rhywun arall. A dim ond o fewn cwlwm cymdeithasol fel yna y mae gobaith inni gael ein cynnal yn deimladol, yn feddyliol, yn gorfforol ac yn eneidiol pan ydym ni ar i lawr, a'n hadnoddau'n hunain yn hesb. Dim ond ymrwymiad o'r fath sydd wedi derbyn gwarant cymorth Cariad Duw. Ond y mae ei gariad i'w gael mewn ystadau eraill o fywyd, wrth reswm, a dydy pawb ddim wedi ei alw i briodi. Y mae yna lu o bobl ddi-briod sy'n byw bywyd llawn a gwerthfawr dros ben.

Mae'r rhan fwyaf o wŷr a gwragedd priod wedi dweud pethau hyfryd a phethau erchyll o gïaidd wrth eu partner o dro i dro. Mae casineb ar ochr arall ceiniog cariad, ond go brin bod y geiriau anwesol o gariad, yn fwy na'r rhai o gasineb, yn cyfleu'r gwir deimladau. Y mae'r teimlad, yr emosiynau, mor glwm wrth berthynas dau sy'n briod â'i gilydd nes gwneud eu perthynas yn llawer mwy nag un resymol. Does dim pwynt ceisio dadansoddi geiriau ac amodau ffrwgwd rhwng gŵr a gwraig fel pe baech mewn llys barn. Fel y gwnâi Solomon gynt, rhaid ystyried y gogwydd teimladol yn ogystal â'r un rhesymegol, ac nid torri dadl a wneir rhwng gŵr a gwraig ond ail-unioni perthynas. Pechu yn erbyn ei gilydd a wna pâr priod, nid troseddu. Fe ŵyr y ddau ynddynt eu hunain lle mae'r bai, ac mae'n sicr o fod o'r ddeutu. Ac nid drwy ddweud fod yn ddrwg ganddyn nhw y cymodir

14

chwaith. Yn rhy aml y mae hunan-gyfiawnder yn llechu mewn edifeirwch. 'Callaf dawo' yn ddiau, ac weithiau mae hi'n weddol amlwg pwy sydd fwyaf ar fai. Ond, ar y cyfan, carthu drwg-deimladau yn yr hunan ydy'r cam cyntaf at gymod, nid dweud rhywbeth wrth y llall, na gwneud unrhyw weithred amlwg. Llonydd i ddod atoch eich hun sydd eisiau, cyn dod yn ôl at eich gilydd.

Ar awr o ymbwyllo ac ystyried, mae'n debyg y cydnabyddai pobl sydd wedi priodi ers tipyn o amser fod yna elfennau anhymig yn eu perthynas; rhai pethau ynghylch eu priod sy'n atgas ganddynt, pethau a guddiwyd gan hudlen serch yn y dyddiau cynnar. Fe sylweddolir hefyd nad oedd y rhinweddau, a oedd mor amlwg gynt, mor nerthol a dibynadwy ag y tybiwyd dan gyfaredd serch. Ond fe welir yr un pryd fod yna rinweddau a phriodoleddau y gellir pwyso arnyn nhw, rhai ohonyn nhw wedi ymrithio dan amodau bywyd priodasol. Yn sicr, fe sylweddola pobun nad oes yr un cymar yn berffaith. Yr ydym oll yn wan ac anwadal, ond gyda help Duw fe fedrwn fwy na thosturio wrth ein gilydd. Fe fedrwn weld y trawst yn ein llygaid ein hunain—'Drych i bob un ei gymydog,'—a dysgu caru'n cymar yn ei wendid. Yn ei wendidau, yn wir, a gweld ynddyn nhw gyfle i ni roi rhywfaint o'n hunain tuag at gyflawni diffygion y llall. Ac am bob tamaid a roddwn ni, fe rydd Duw yn helaethach lawer. Y mae yma alwad arnom i ymddiddyfnu oddi wrth ein hunanoldeb; galwad a chyfle i wasanaethu ydy priodas. Galwad hefyd i gydweithio fel rhieni os y'n bendithir â phlant, i'w dysgu hwythau sut i fyw er mwyn eraill.

Nid pawb sydd am gael plant, am amryfal resymau, ac nid pob teulu sydd yn gallu eu cael. Caiff ambell deulu fwy o blant nag y maen nhw eu heisiau, er i'r rhan fwyaf ohonyn nhw ddod â'u gwaddol o gariad i'w dilyn. Ond os nad ffrwyth serch a chariad ewyllysgar ydy pob plentyn, y mae'n rhaid iddyn nhw i gyd wrth ymroddiad a gofal rhieni naturiol neu rai maeth, dros gyfnod hir, neu fe dyfant yn gam. Fel planhigion bregus, mae arnyn nhw angen gofal cariadus er mwyn iddynt dyfu, a chael eu graddol drawsblannu, a gwreiddio mewn cefndir gwahanol. A'r brif feithrinfa ydy'r aelwyd, lle y dysgir nhw sut i fod yn rhieni a brodyr a chwiorydd, a graddol ddysgu byw fwyfwy er mwyn eraill.

Y mae angen cymorth cariad Duw arnom ni oll, yn sicr, ond y mae ar barau priod angen cymorth pobl eraill hefyd er mwyn dwyn y cariad hwnnw i ni. Yn wir, y mae yna lu o briodasau'n cael eu trefnu gan deuluoedd y pâr ifanc, hyd yn oed yn ein dyddiau ni. Gwneir y dewis ar sail rhinweddau'r darpar ŵr a gwraig a rhai'r teuluoedd, ar sail gwybodaeth ac adnabyddiaeth. A'r syndod ydy bod cymaint o'r priodasau hyn yn llwyddo pan fo cynifer o rai yn methu yn ein byd datblygedig ni yn y Gorllewin. Nid oes ddwywaith nad ydy priodasau lle mae'r teulu mawr, y teulu estynedig—yn neiniau a theidiau, ewythredd a modrybedd, cefndryd a chyfyrdyr—yn chwarae rhyw ran yng nghynhaliaeth perthynas y pâr priod, bod priodasau felly yn tueddu i lwyddo'n well na rhai lle mae'r pâr priod wedi eu hynysu oddi wrth eu teuluoedd, cyn ac wedi'r briodas.

Yn y patrwm traddodiadol, sy'n dal i fodoli i ryw raddau yng Nghymru, nid dim ond y priod a briodir. Mae'r mab a'r ferch yn dod i berthyn nid yn unig i'w gilydd, ond hefyd i berthnasau'i gilydd, ac yn tueddu i dderbyn cyfeillion ei gilydd yn ogystal. Mabwysiedir perthnasau newydd, fel mae pâr priod yn gallu mabwysiadau mab neu ferch yn blentyn cyflawn iddynt. Nid gweithred o ymryddhau oddi wrth rieni a gadael cartref a theulu a chyfeillion ydy priodas Gristnogol, er bod elfen o hynny yn y peth, wrth reswm. Gweithred o ymrwymo i deulu newydd, o ffurfio perthynas newydd heb ddileu'r hen un â'r teulu gwreiddiol sydd yma. Y gallu i ffurfio perthynas ydy nod amgen creadur dynol, pa mor sâl neu fethedig bynnag y bo, a hynny sy'n dangos mai ar ddelw'r Drindod y'n crewyd ni.

TAPESTRI'R CENEDLAETHAU

Mae pob un ohonom ni'n perthyn i deulu. Fe'n rheffir wrth ein gilydd, o genhedlaeth i genhedlaeth, wrth ein tadau a'n cyn-deidiau. 'Anrhydedda dy dad a'th fam,'—a'th gyndeidiau. Nid am eu bod yn well na rhai neb arall, ond am mai i ni y maen nhw'n perthyn, yn ôl trefn pethau. Ond os mai cael ein hystofi i berthyn i ach neu wehelyth arbennig a wnaethom ni i gyd, yna mae gan y rhan fwyaf ohonom ni ran, o leiaf, yn newisiad gwead tapestri ein câr a'n cyfathrach, wrth inni ddewis pwy ydym ni'n ei briodi. Wrth ddewis cymar bywyd y mae'n cefndir diwylliadol, cym-deithasol, crefyddol a theuluol yn chwarae rhan, yn ôl yr amgylchiadau. Ond y mae'r hyn a etifeddwyd gennym, oddi wrth

16

ein rhieni a'n cymdeithion, yng nghroth ein mam ac ar ein haelwyd, yn dylanwadu nid yn unig ar ein dewis o ŵr neu o wraig, ond hefyd ar lwyddiant y briodas. Y mae priodas yn rhoi ail gyfle inni i gael perthynas agos, o ran corff, meddwl ac enaid, â rhywun arall, o fewn cwlwm cariad. Rhywun sy'n fodlon ein derbyn, yn ein da a'n drwg, i gyflenwi ambell ddiffyg ynom, neu i liniaru ambell friw; i'n cynnal yn ein gwendid cynhenid a'n horiau gwan. Ac nid dim ond y priod sy'n dod â'i rinweddau a'i ddiffygion; mae'r plant a'r perthnasau'n rhan o'r cylch cyfrin hefyd.

Y mae teulu'n gallu dwyn beichiau'i gilydd, ac yn amgylchfyd priodol i dwf unigolion o'i fewn. Un o baradocsau cariad ydy mai'r rheini sydd fwyaf diogel a chlyd o fewn ei gwlwm sydd fel arfer â mwyaf i'w gyfrannu i drueiniaid sydd heb fod yn perthyn iddyn nhw. Does dim byd yn fwy truenus na'r sawl sy'n ymdrechu'n galed i helpu pobl eraill, ymhell ac yn agos, tra mae yna dristwch y mae'n ddall iddo ar ei aelwyd ei hun. Mae unigrwydd yn bosibl hyd yn oed o fewn teulu, fel ym mhob man arall, ond rhwng perthnasau y mae yna rywbeth mwy na dim ond geiriau'n bosib. Y mae yna gwlwm teimlad, cnawdol ac eneidiol. Y mae yna berthynas, a hwnnw'n nerthu pobl i wneud pethau megis rhwbio cefnau hen bobl gorweiddiog, trin a thrafod babanod ac ymwneud yn hynod o agos â phobl eraill. Dyma berthynas sy'n fendithiol i bawb—ond bod eisiau gras!

Y drefn arferol o gael bendith ar briodas ydy drwy'r sagrafen: drwy wasanaeth glân briodas; drwy fynychu moddion gras a thrwy gadw dyletswydd deuluol cyn amled ag sy'n bosib—pe na bai ond cyn brif brydau bwyd y teulu gyda'i gilydd, gan siarad gyda Duw ar y cyd yn ogystal ag yn unigol. Fe geir bendith yr Eglwys ar yr uniad yn seremoni'r briodas drwy weddïau'r gweinidog neu'r offeiriad, a chydnabyddiaeth y wladwriaeth drwyddo ef neu gofrestrydd. Ceir bendith y teuluoedd a'r cyfeillion o'r ddeutu mewn amgylchedd yn llawn asbri a dathlu a hyder—er bod yna beth tristwch a hiraeth ac amheuon yn llechu y tu ôl i'r rhain fel arfer! Ond nid cynrychiolydd crefydd—nac un y wladwriaeth—sy'n priodi'r ddeuddyn, ond nhw eu hunain. Tystion ydy'r lleill, tystion i'r weithred fwyaf arwyddocaol, hyd hynny, ym mywyd y ddau sy'n priodi. A chan mai nhw sy'n ei wneud, dydy'r weithred ddim yn un ddilys onis gwneir o wirfodd calon a meddwl, heb fod yna unrhyw orfodaeth o fath yn y byd ar y naill na'r llall i fynd yn erbyn ei ewyllys neu'i grebwyll.

Yn ogystal â bod yn dystion yn y briodas, down oll â'n bendithion i'r pâr priod, ac mae lle i bob un ohonom ni ymrwymo o'r newydd i helpu'n gilydd, trwy gynnal a chefnogi'r pâr newydd yn eu menter, yn enwedig pan na fydd bywyd yn fêl i gyd, a'r ewyllys a'r deall yn cael eu sigo efallai dan bwysau stormydd bywyd, gan afiechyd neu dlodi, neu bwysau gofalu am berthnasau llesg ac anodd.

Er i briodas gael ei chreu yn y nefoedd ar gyfer Eden gynt, a bodoli ers dechrau'r byd, y mae'r sefydliad yn fwy poblogaidd heddiw nag erioed, a'r dyhead am fywyd hapus ar y cyd yn dal i ddenu'r lluoedd. Ond tueddir i weld yr holl beth bellach, megis y Nadolig modern, yn ddim ond tinsel a llewyrch a sbort; fel ateb parod i broblemau—a 'byw yn hapus byth wedyn!' Y reddf naturiol am bleser a hunan-gyflawniad, am ddianc rhag casbeth a gofid a siom a dyletswyddau teuluol, am gael 'tegwch y munud,' dyna sy'n gyrru gormod o bobl i fynd drwy seremoni o briodas sy'n aml yn gabledd ar y sagrafen Gristnogol, pe bai'r creaduriaid ddim ond yn dirnad hynny. Pa ryfedd wedyn na chân nhw'r hyn a ddisgwyliant o briodas, a'u bod yn ymwadu â'r berthynas gynted ag y medran nhw, a chwilio am un well? Ni wneir fawr o ymdrech gan rai fel hyn i feithrin perthynas na'i chynnal; ni welir pwynt i gyd-fyw ond fel sefydliad i roi mwythau neu faldod i'n gilydd. Ac y mae bai ar gymdeithas am fagu pobl sydd bron yn anabl i greu a chynnal perthynas arwyddocaol a pharhaol gydag unrhyw un arall, fwy nag y gall creaduriaid y maes—er bod y rheini'n cynnal eu rhai bychain yn well nag aml deulu o ddynion. Wrth reswm, mae yna nifer o bobl sydd, oherwydd eu cefndir neu oherwydd afiechyd neu nam meddyliol, yn anabl i ffurfio perthynas, ac y mae cyfraith Eglwys a gwlad yn cydnabod anallu pobl o'r fath i briodi. Y trueni ydy fod cyfran fawr o'r rhai sy'n methu cynnal priodas yn gynnyrch priodasau tor neu anhapus eu hunain.

Cwlwm ydy priodas, cwlwm o ddiogelwch a sicrwydd cariad— neu o gaethiwed a gofid; ond cwlwm na ellir fyth ymddihatru'n llwyr oddi wrtho, beth bynnag a oddefir gan gyfraith gwlad.

Cwlwm yw nad oes cilio—o'i afael
Nes dyfod i'r amdo:
Rhwydd ar awr y rhoddir o,—
Ei ddatod nid rhwydd eto.

18

Ond os nad ydy'r Eglwys am i Gristnogion ddatod y cwlwm 'nes dyfod i'r amdo', mae lle inni geisio sicrhau nad yn 'rhwydd ar awr y rhoddir o'. Fe hyfforddir pobl am fisoedd ar gyfer bedydd oedolyn neu fedydd Esgob, neu ar gyfer cael eu derbyn yn gyflawn aelod; am flynyddoedd ar gyfer galwedigaeth gweinidog neu offeiriad. Ond mae pobl yn cael priodi ar amrantiad, bron. A pheth diweddar ydy'r Gwasanaethau Cynghori ar gyfer pobl mewn trafferthion priodasol. Yn aml heddiw fe briodir dau sydd newydd gyfarfod—ar awr wan, mewn unigrwydd, ymhell o'u cynefin a'u teulu. Addewir rhoi popeth o'r hunan i rywun sydd bron yn ddieithryn, na welwyd mohono, na chlywed amdano ond ar un wedd, ar un cyfnod byr, mewn un cyflwr ac ar un cefndir. Yr un person hwnnw sydd wedi denu'r serchiadau ar bwys rhinweddau arwynebol yn unig. 'Nid wrth ei big y mae prynu cyffylog.' A phan gilia'r hawddfyd conffetïaidd, beth sydd ar ôl? Yn rhy aml, dim diddordebau sylfaenol cyffredin, a neb yn gefn iddyn nhw—ond cydnabod y funud. Pa syndod eu clywed yn cwyno nad dyma'r person a briodason nhw, gan na chafwyd cyfle i'w adnabod cyn ymrwymo? Pa werth sydd i gynnal y fath gaethiwed di-fudd, pan fo yna bobl eraill yn ymddangos yn fwy deniadol o gwmpas y lle? Y tristwch ydy mai symud o un berthynas annigonol ac annedwydd i'r llall a wna'r bobl y mae cwlwm priodasol yn un dros dro neu'n amodol iddyn nhw. Pobl ydyn nhw sydd, o ewyllys da, yn methu'n aml â gweld na phwrpas na dyfodol i briodas fel sefydliad i gyfoethogi bywyd dynion a merched, heb sôn am blant.

Ac nid dim ond plant sy'n disgwyl cael eu cynnal gan briodas. Mae ar bobl briod iach, ifanc neu ganol oed, gan gynnwys, wrth reswm, y rhai di-blant, ddyletswydd i gynnal aelodau llesg, neu anabl, neu fethedig y teulu a'r rhai yng-nghyfraith, hyd yn oed pan fo'r rheini'n anodd a diserch tuag atyn nhw. Y mae yna berygl i agosrwydd perthnasau fygu cariad pâr priod, ond ar y cyfan mae'r cwlwm ehangach yn gallu bod yn gefn i'r ddeuddyn yn ogystal ag i'r aelodau sydd fwyaf dibynnol arno. Y teulu estynedig fu'r patrwm yng Nghymru drwy'r oesoedd.

Does dim ots faint o garedigrwydd a gaiff plentyn dan anfantais neu'n amddifad o gariad neu o gartref, neu henwr llesg, mewn sefydliadau cymeradwy, dim ond gan berthnasau y rhai y mae'n perthyn iddyn nhw, a hwythau'n perthyn iddo yntau, y mae gan berson hawl i ddisgwyl anwyldeb a chymorth parod cariadus—a rhywun i dderbyn ei holl anhwylderau a'i friwiau. A chwlwm canolog yr holl berthnasau â'i gilydd ydy'r un sy'n cael ei gynnal gan fywyd priodasol y teulu bach. Dyna pam y mae pob priodas yn haeddu cefnogaeth y wladwriaeth—yn enwedig o gofio fod cwlwm y teulu'n arbed ffortiwn iddi ar gostau'r gwasanaethau lles cymdeithasol.

Os ydy'r wladwriaeth, fel yr Eglwys, yn rhoi ei bendith i'r pâr ifanc ar eu taith, dydy hi ddim yn eu helpu i ddysgu crefft anodd byw. Er i Dduw yrru'r haul inni, rhaid i ninnau ddysgu ac ymroi i hau ac aredig, i docio a chwynnu, a chynaeafu. Weithiau fe geir tir creigiog; weithiau y mae priodas yn fethiant llwyr. Os nad oes plant bach, gellir ystyried a oes gwerth mewn cynnal y peth—yn wir, a fu yna briodas erioed. Fe ddirymir *priodas*, hynny ydy, fe gyhoeddir na fu priodas yno o'r dechrau, mewn achosion lle mae'n amlwg nad oedd y naill na'r llall yn gwybod beth yr oedden nhw'n ei wneud wrth briodi, neu wedi eu gorfodi i briodi yn erbyn eu hewyllys, neu heb fod yn abl i ffurfio perthynas barhaol am nad oedd yna ddyfnder i'r tir. Rhaid cydnabod yr un pryd, i'r rhan fwyaf ohonom ni deimlo ar brydiau inni wneud camgymeriad; nad oeddem ni'n llwyr ymwybodol o beth yr oeddem ni'n ei wneud, nac yn ei wneud o lwyrfryd calon, efallai. Daw cyfnodau hesb i bob priodas, cyflyrau o bruddglwyf ac o iselder i ran pob gŵr a gwraig, cyfnodau o straen, a hyd yn oed o anobaith. Ond mae'n ganmil gwell gan y rhan fwyaf o blant gael eu teulu eu hunain—'er gwell, er gwaeth ...'—na mynd ar drugaredd caredigion y wladwriaeth les. Ac yn y mwyafrif llethol o achosion mae mwy o obaith iechyd a sefydlogrwydd meddwl ac ysbryd i'r gŵr a'r wraig—iddyn nhw ddod atynt eu hunain—os penderfynir dal ati er gwaethaf popeth, ac ymlafnio i gynnal y berthynas a ffurfiwyd ganddyn nhw 'yn nyddiau eu hieuenctid, cyn dyfod y dyddiau blin'.

Does yr un sefydliad ar y ddaear yma sy'n well er cynnal pob anhap ddynol ar daith bywyd, na dim a all gyfrannu cymaint i dwf unigolion, â phriodas. O'i mewn y dysgir cyd-fyw â phobl o wahanol raddau o ran natur, dysgu ffrwyno hunanoldeb, dysgu'r defodau a'r traddodiadau dynol sy'n llesteirio'n natur waelaf ac yn ein cadw'n wâr. Dysgu cael trwy roi, darganfod cariad a maddeuant ac anwyldeb—fel y gwnaeth y Mab Afradlon a'i deulu—drwy edifarhau a maddau, anwesu, a gwasanaethu a dathlu. Dysgu trwy dynerwch tad a mam am natur cariad tadol

Duw, ac oddi wrth frodyr a chwiorydd a pherthnasau am ystyr cariad brawdol Iesu Grist.

Er gwell neu er gwaeth, y mae cefndir cymdeithasol ein bywydau'n newid. Dwy ffactor bwysig iawn sy'n dylanwadu ar natur bywyd teuluol Cristnogion heddiw ydy rhyddfreinio merched, a'r duedd gynyddol i ynysu pobl yn deuluoedd neu'n unedau cymdeithasol bychain—ar ystadau o dai cyffelyb yn aml, ac yn alltud o fro eu cynefin. Fe barhaodd llawer priodas yn y gorffennol nid oherwydd cariad Duw na dynion, ond oherwydd sefyllfa israddol y wraig, a'i hanallu i gael cynhaliaeth petai'n gadael ei gŵr. Erbyn hyn mae gan ferched hawliau cyfartal, fwy neu lai, ac addysg a disgwyliadau cyffelyb i rai dynion—a diolch i Dduw am hynny! O ddyddiau *serch cwrtais* hyd at *Cyfarwyddwr Priodas* Williams Pantycelyn, roedd merched yn rhy aml un ai ar bedestal neu'n sownd wrth y twb golchi a'r crud; yn fam ddi-ryw neu'n hwren, yn *Fartha Pseudogam* neu'n *Mary Eugamus*. Ond yn ei ymwneud â merched, yn anad neb, y dangosodd Duw ei gwrteisi cynhenid tuag at ei greaduriaid. Fe yrrodd latai at Mair i ofyn a wnâi creadur meidrol fel hi gydsynio i gydweithredu ag Ef, cyn iddo fynd rhagddo ag iachawdwriaeth dynion. Ac wrth Fair arall y cyhoeddodd angel arall y newyddion am yr Atgyfodiad gyntaf.

Erbyn hyn, mae mwy a mwy o ferched yn disgwyl derbyn cydraddoldeb a chwrteisi tuag atyn nhw o fewn priodas. Disgwyliant i'w talentau a'u diddordebau a'u gofynion cymdeithasol, addysgol, personol a rhywiol gael sylw cyfartal. Dydy plant, chwaith, ddim yn derbyn awdurdod treisiol, mympwyol. Er bod ar rai ohonynt angen dybryd am fwy o ddisgyblaeth, mae'r rhan fwyaf yn disgwyl cael eu trafod yn ystyriol a chwrtais, ac yn gyson. Y mae hyn i gyd, mae'n rhaid cyfaddef, yn gosod straen ar sawl priodas.

Fe ddywedir mai achos mwyaf cyffredin tor-priodas, ar ôl y dyddiau cynharaf oll, ydy anallu un cymar i dderbyn fod y llall hefyd wedi aeddfedu erbyn hynny, ac nad ydy mwyach am chwarae rhan *plentyn* neu *fam* neu *dad* i'w briod. Mae hynny'n wir hefyd am briodas fel sefydliad, ond y mae dynion yn graddol ddysgu rhoi lle cyfartal i ferched a rhannu'r beichiau gyda nhw—er i'r rhan fwyaf ohonom ni gredu fod yn rhaid dosrannu'r gwaith ac arbenigo ar rai pethau. Fel all dyn goginio a merch bapuro waliau, ond gwell iddi hi ymatal rhag gwaith corfforol trwm, a gwell i'r fam fod yn bennaf gyfrifol am fagu'r babanod. Dim ond hi all esgor arnyn nhw, a rhaid i blant adnabod y gwahaniaethau sylfaenol, di-wad rhwng dynion a merched o'r dechrau onid ydynt am gael problemau ynghylch eu rhywioldeb; hynny ydy, os ydynt am ddeall mai agwedd ar gariad a pherthynas deuluol ydy rhyw. Dysgant, yr un pryd, mai partneriaid ydy tad a mam, yn rhannu gwaith drwy roi swyddogaethau gwahanol i'w gilydd, fel y gwnaeth pob anifail wrth esblygu a dod yn fwy deallus. Ond rhaniad cyfartal sydd i fod o ran beichiau, a chydraddoldeb swyddogaeth a chyfle fel personau ym mhob peth ar wahân i'r swyddogaethau arbennig o fewn teulu lle mae plant bach.

Gydag estyniad einioes dyn ar y ddaear yma, fodd bynnag, gall y rhan fwyaf ohonom ni ddisgwyl cyfnod gweddol hir o briodas ar ôl i'r plant dyfu a mynd dros y nyth. Ac fel partneriaid, yn nerth eu hundod, y gall y rhan fwyaf ohonom wynebu henoed yn hyderus: byw drwy newidiadau ysgytiol canol oed, ymddeol, darparu ar gyfer pen y daith, a ffarwelio â'r llall yn y diwedd; derbyn galar a bod yn barod i gymryd y cam olaf, ar sail y berthynas sylfaenol yn y briodas—y cyfamod rhwng y pâr priod a Duw, a dychwelyd yn derfynol i'r hen aelwyd, at y Tad maddeugar.

Y mae'r berthynas ddeuol yma rhwng pâr priod yn cael ei dwysáu hefyd o'r rhaniad cynyddol rhwng dwy wedd ar y weithred rywiol. Y mae bywyd rhywiol, bellach, oherwydd effeithiolrwydd atal-cenhedlu a'r gostyngiad anferth ym marwol-aethau plant cyn eu geni ac yn fuan wedyn, yn gwneud bywyd rhywiol yn rhywbeth amgenach na pheirianwaith parhad yr hil. Y mae bywyd rhywiol yn mynd yn fwyfwy i sefydlu, ac yna i gynnal a chryfhau, perthynas deuddyn ar adegau anodd, ac yn y blynyddoedd lawer wedi iddynt orffen magu eu plant. Y mae'r bywyd rhywiol yn ei holl agweddau yn ganolog i'r berthynas anhygoel o gymhleth sy'n uno mab a merch, ac yn eu cyfuno'n gorfforol, yn deimladol, yn gymdeithasol ac eneidiol. Pan fo un ar i lawr, fe all y llall ei gynnal yn aml, ac fe delir y ddyled yn ôl yn y man.

Ond er bod yr undod clòs hwn ar gael, a bod y naill yn gallu mynd o dan groen y llall, dydyn nhw ddim yn tyfu'n un person. Ac mae yna rywfaint o ddiffyg dealltwriaeth a chydymdeimlad rhwng hyd yn oed y parau priod mwyaf dedwydd eu byd. Ond pan fo pethau'n anodd, mae yna sicrwydd fod rhyw gymorth ar gael gan y priod. Mae yna elfennau ym mhob un ohonom ni nad yw ond ychydig yn uwch na'r llaid, ond y mae yna hefyd ddynoliaeth gyffredin nad yw ond ychydig is na'r angylion ar ochr orau pob personoliaeth: delw Duw arnom. Ac fe allwn fentro ar sail sicrwydd hwnnw, mewn ffydd, gobaith a chariad. Mae cymuno â'n gilydd yn haws pan fo'r ddau yn cymuno â Duw yn ogystal, mewn gweddi, yn Swper yr Arglwydd, a phan fo priodas ei hun yn sagrafen—mewn prydau bwyd a gweithredoedd o gariad gartref. Ac fe seliwyd y fath gymuned yn aml mewn creadigaethau sy'n dwyn elfennau o gnawd a meddwl ac ysbryd y ddau briod—mewn plant.

Ar ei gorau, y mae priodas yn dwysáu ac yn ehangu'r dyndod, megis y mae caru rhydd yn datgymalu person, fel y tystiodd Gronw Pebr yn nrama Saunders Lewis. Os ydy hyd einioes bellach yn tueddu i ynysu dipyn ar barau priod fel yr ân nhw'n hŷn mae'r ffaith fod y rhan fwyaf ohonom ni yn y gwledydd cyfoethog hyn yn gadael bro ein mebyd i sefydlu teulu yn golygu ein bod yn colli cefnogaeth a chyngor a chymorth y teulu estynedig, yn deidiau a neiniau, ewythredd a modrybedd, a'u tebyg. Ymateb i hyn ydy'r symudiad i ffurfio cymunedau megis yn y Cibwtsim yn Israel, lle y megir plant a gofalu am y rhai anabl ar y cyd; yr Hipis wedyn, a'r mudiad sy'n codi ar draws y byd i adfer y llwyth a'r gymuned leol. Go brin, yn wir, y gall y syniad o deulu fel dau druan yn gorfod byw gyda'i gilydd gydol eu hoes, heb gefnogaeth na châr na chyfathrach, mewn cymdeithas symudol, ddi-wreiddiau, barhau. A dydy'r peth ddim yn gweithio'n dda bellach mewn sefyllfaoedd o'r fath yn y gwledydd a elwir yn rhai datblygedig. Rhan o'r frwydr dros gymdeithas, a'r gred fod traddodiad a chyfathrach ddiwylliadol yn bwysig, yn gallu cynnal a chyfoethogi bywyd dynion, ydy'r frwydr dros urddas y teulu heddiw. Yn wir, y teulu hefyd ydy'r uned sylfaenol yr adeiledir cymdeithas a chenedl, a'r holl deulu dynol arni. O'i mewn hefyd y caiff y musgrell a'r methedig a'r annormal fwyaf o loches a charedigrwydd. Dim ond y mwyaf iach a deallus a herfeiddiol yn ein plith all fyw heb gymorth pobl eraill gydol ei oes. A'r man naturiol i droi am help yn y lle cyntaf i'r rhan fwyaf ohonom ydy'r rhai sy'n perthyn agosaf atom ni, y teulu.

Os ydy hyn oll yn swnio'n gymhleth ac anodd, nid am fod priodas yn anobeithiol o ddyrys y mae hynny. Sialens ydy priodas, ac yn anodd am ei bod yn addo pethau gwych ond i ninnau wneud ein rhan. Nid hawddfyd a warentir, cofier, ond cymorth hawdd ei gael mewn cyfyngder; help ar ein pererindod, ond help er hynny sy'n ei amlygu'i hun yn aml mewn hwyl a sbri a dathlu, mewn addfwynder a chydymdeimlad. Nid oes inni yma ddinas barhaus, a rhaid darparu ar gyfer y dedwyddwch sydd i'w gael, yn ôl addewid Duw. Does dim diwedd ar fywyd y teulu o genhedlaeth i genhedlaeth, ond daw diwedd ar fywyd y pâr priod. Ym mhob achos bron fe adewir un ar ôl yn ei alar, ac weithiau heb unrhyw ddiddanwch. Ond os bydd y person wedi byw bywyd llawn, fe fydd ei berthynas â Duw wedi aeddfedu hefyd, ac yntau wedi mynd ymhell ar lwybr marwolaeth ei hunan. Bydd yn barod ar gyfer y cam olaf, arswydus o bosib, fel plentyn yn cyrraedd cyntedd cartref ei Dad a'r wledd o groeso cariadus. Yn wir, onid Bod mewn cariad ydy Duw? Bron na ellir dweud ei fod hefyd yn deulu ynddo'i hunan: tri Pherson mewn un natur—'Tad a Mab ac Ysbryd Glân, yn un Duw tragwyddol diwahân?' Ac o addoliad perffaith y Tad a'r Mab at ei gilydd y deillia'r trydydd person, yr Ysbryd Glân—ysbryd cariad—yr ysbryd sy'n ein galluogi i oresgyn 'y golled erchyll gafwyd draw yn Eden drist,' a dyfod unwaith eto'n blant i Dduw. Yr ydym ni'n rhan o deulu estynedig Duw.

Os mai 'Duw cariad yw' ydy'n hadnod gyntaf ni, efallai mai dameg Y Mab Afradlon ydy un o'r hanesion Beiblaidd cyntaf a ddysgwn; hanes plentyn sy'n mynnu gadael Eden ei gartref clyd, torri cysylltiad â'i deulu, a mynd ar gyfrgoll. Yna mae'n dychwelyd adref, dan brociad yr Ysbryd, i fynwes y teulu lle caiff wledd o groeso a maddeuant perffaith. Yn wir, yng ngŵydd y croeso gartref y mae'n dysgu gwers boenus, wrth sylweddoli sut blentyn a fu i'w dad, a'i fod serch hynny'n derbyn maddeuant llwyr. Wedi ei burdan o ofid wrth sylweddoli hyn, wedi'r edifeirwch, caiff fyw mwyach yng ngwres perthynas y Tad a'r Mab yn yr Ysbryd Glân. Bellach nid dim ond gwybod am gariad y bydd, ond cyflawn adnabod Cariad a Chyfiawnder a Phryd-ferthwch Duw, wyneb yn wyneb, â thragwyddol syllu arno—

Lle mae anwyliaid Duw
O gylch gorseddfainc wen fy Nhad
Yn deulu mawr yn byw.

Wedi'r cwbl, i hynny y'n crewyd ni!

(Pamffled i Gyngor Eglwysi Cymru)

3 Benyweidd-dra

Un o'r pethau a'm denodd i at yr Eglwys Gatholig Rufeinig oedd ei phwyslais ar ddynoliaeth, ar ddynoldeb ac urddas dyn. Fel y dywedodd y Pab Ioan Paul II yn ei bregeth adeg ei orseddu, 'Â'r fath arswyd y dylai Ficer Crist yngan y gair Dyn'.

Y *Dyn* yn y fan yna'n golygu dynoliaeth, wrth gwrs. Yn rhyfedd ddigon, er gwaethaf pob coeg-chwedloniaeth amdani a phriodoli gau-ddefosiynau iddi, i mi o leiaf, Mair ydy'r arwydd amlycaf o urddas pob creadur dynol. Roedd hi'n anodd ar y dechrau, a minnau o gefndir cymysg: Anglicanaidd/Presbyteraidd, ac wedi bod am ddegawd yn anffyddiwr rhonc. Roedd hi'n anodd dechrau meddwl am Mair fel ffigur canolog yn hanes y Ffydd. A doedd y delwau plastr rhad mewn cymaint o Eglwysi Pabyddol ddim o gymorth. Yn raddol, er hynny, deuthum i werthfawrogi ei lle hi a'i rhan yn nhrefn iachawdwriaeth, ac i weld bod hynny'n arddangos pa mor bwysig ydy rhan pob creadur dynol yn nhrefn ei achubiaeth.

Yn ôl athrawiaeth yr Eglwys Babyddol, ni fentrodd Duw fynd rhagddo 'i achub gwael, golledig, euog ddyn'—a oedd yn y cyflwr hwnnw oherwydd ei falchder afreolus—heb iddo ymorol yn gyntaf am gydsyniad bod dynol, meidrol, sef y Forwyn Fair. Ni ddeuai'r Gair yn gnawd heb iddi hi ymateb i'w latai at y ddynoliaeth, Gabriel, drwy ddweud 'Bydded i mi yn ôl dy air di'.

Nid rhyw lestr oedd hon; nid merch fach ufudd, eiddil, dirion, ddiddrwg ddidda, fel y cerfluniau a'r modelau plastr rhad hynny —'fel modryb Sali'n y ffair'. Gwell gen i ddarlun Leonardo da Vinci o'r 'Cyfarchiad', lle mae Gabriel yn wynebu merch ifanc ddeallus ond gwylaidd, addfwyn ond cadarn: y ferch oedd i fagu Duw yn ei chroth; rhoi genedigaeth iddo yng nghanol gwaed a llysnafedd a hylif amnion mewn stabl anifeiliaid; ei fagu ar ei bronnau; ei dywys yn yr Ysgrythurau; ei roi ar ben ei Ffordd i Golgotha, a gwylio'i groeshoelio a'i gladdu; y ferch oedd i fod yn gymaint rhan o'i rawd ddaearol, o wewyr geni i wewyr angau.

Dyma'r creadur dynol a feiddiodd gredu gair anhygoel, 'gwallgof' yr angel: mai hi oedd i fod yn gymar i Dduw. Dyma'r ferch a fedrodd agor ei chalon a chanu'r gân serch anferthol honno, y *Magnificat*: 'Y mae fy enaid yn mawrygu'r Arglwydd

...', ac wrth inni ddweud ei bod hi'n 'fendigedig ymhlith merched', mae'r gair 'merched', am unwaith, yn un cynhwysfawr ac yn golygu'r ddynoliaeth gyfan.

Hi, o bob creadur dynol, ydy'r uchaf ei pharch am mai hi a ddewiswyd gan Dduw i fod yn gymar iddo wrth wared y ddynoliaeth o gaethiwed pechod ac angau. Wrth iddi hi wneud hynny, fe ddangosodd y ffordd i ni i gyd i ymateb i gariad ein Creawdwr, ein Gwaredwr a'n Cynhaliwr.

Ond, yr un pryd, rhaid cofio mai merch oedd Mair. Os mai yn nelw Duw y'n gwnaed ni i gyd, yn fenyw a gwryw, yna mae'n rhaid fod Duw yn adlewyrchiad o'n natur ninnau, er mor ffaeledig honno. Rhaid fod benywaidd-dra yn rhan hanfodol o'r Duwdod, neu ynteu o ble y daeth i fodolaeth? Rhaid fod mamolaeth, hefyd, yn rhan o berthynas Duw â'r ddynoliaeth.

I mi, mae'n holl bwysig ein bod yn cydnabod lle uchel Mair yn nhrefn y cadw. Fel y dywedodd Gwili:

Maddau, dyner Forwyn, os dysgasom
    Roi it leiparch nag a hoffai'r nef;
Cans ar Fab dy draserch y serchasom,
    Rhag dy barchu di yn fwy nag Ef.

Dysger inni, Forwyn fendigedig,
    Eilchwyl dalu dyled fawl ein tud;
A phan alwo Cred di'n wynfydedig
    Na foed mant yng Nghymru wen yn fud.

Mae'n bwysig talu clod iddi am fod Duw, wrth ei hanrhydeddu hi, yn dangos inni i gyd mor annwyl a phwysig ydym ni yn ei olwg.

Mair a gydsyniodd i'r ymgnawdoliad; hi a roddodd y cnawd ar ei gyfer; hi a alluogodd Dduw i ddynoli fel y caem ninnau ein dwyfoli ym mhriodas Crist a'i Eglwys.

Hi, wrth ddefnyddio'i chorff: 'ffrwyth y ddaear a gwaith dwylo dynion' a roddodd gnawd i Iesu. Mae'n weithred yr arddelwn ni, Babyddion, hi bob eiliad o bob dydd yn y miloedd o Offerennau a ddethlir ar hyd a lled y byd, wrth i'r meidrol a'r anfeidrol gyfarfod ac asio dro ar ôl tro yn Sagrafen Sanctaidd yr Ewcharist.

Er hynny, ni, Babyddion, sydd mor hoff o glodfori Mair, a gofyn am ei heiriolaeth drosom gyda'i Mab, sydd eto mor rhyfedd o gyndyn i gydnabod dyndod llawn hil Mair a'i gwisgo ag urddas yr offeiriadaeth. Diau fod dadleuon am hyn nad wyf i gymwys i'w trafod, ond y mae'r peth yn peri dryswch mawr imi.

Rhan o'r broblem ydy fod Pabyddiaeth wedi rhoi cymaint o bwyslais ar y teulu, a bod rhyddfreinio merched wedi cael ei gyfystyru'n rhy aml ag ymosod ar y teulu fel sefydliad. Honna'r Eglwys ei bod, wrth anrhydeddu Mair, yn rhoi urddas ar ddyndod, gwyryfdod a mamolaeth. Ond tueddwyd i anghofio'r priodoledd cyntaf yna ar fywyd Mair, sef ei bod yn ddynes cyn ei bod yn fam.

Yr un pryd, dylid cydnabod fod pethau'n newid hyd yn oed yn yr Eglwys Babyddol. Yn ôl y Pab Ioan Paul II:

Mae'r corff dynol, a'i rywioldeb, a'i wrywdod a'i fenywdod, o edrych arno yn nirgeledd ein cred, nid yn unig yn ffynhonnell ffrwythlonder a chenhedliad, megis gyda holl drefn Natur, ond 'o'r dechreuad cyntaf' ag iddo wedd briodasol . . . Mae perthynas rywiol yn codi o gyffroadau rhywiol, sy'n tyfu yng nghwrs y weithred i uchafbwynt gŵyn. Yn ôl arbenigwyr yn y maes, mae'n bwysig, er mwyn iechyd dynion a merched o ran corff a meddwl, fod y weithred rywiol yn caniatáu i'r dyn a'r ddynes gyrraedd eu huchafbwynt fwy neu lai'r un pryd . . . Os bydd y ddynes yn methu â chanfod yn y gyfathrach rywiol y boddhad naturiol sydd ynghlwm wrth wŷn y cyffro rhywiol, yna efallai na fydd nac yn cyfranogi ohoni, nac yn cyfrannu ei holl bersonoliaeth iddi . . . ar brydiau, oherwydd hunanoldeb dyn, a fydd trwy geisio'i foddhad ei hun, mewn dull bwystfilaidd yn aml, yn anymwybodol neu'n ddiystyr o anghenion goddrychol y ferch, ac o reolau gwrthrychol y broses gnawdol sy'n digwydd ynddi hi.

Er bod pethau'n gwella yn hynny o beth o leiaf, mae'r Eglwys Babyddol yn tueddu i lusgo'i thraed wrth ystyried lle'r ferch ym mywyd yr Eglwys; yn dal i dueddu i ddisgwyl iddyn nhw fodloni ar blanta neu fod yn lleianod, a—fel y dywedodd y diweddar Gardinal O'Fiach o Armagh—'bodloni ar lanhau'r eglwysi a sicrhau fod yna flodau ar yr allor, a dim byd arall'. Dywedodd y cardinal na fyddai ganddo ef unrhyw drafferth derbyn merch yn offeiriad pe penderfynai'r Eglwys wneud hynny; mae yna breladiaid eraill o gyffelyb fryd. Does yna ddim dogfen Eglwysig a sêl anffaeledigrwydd arni sy'n gwahardd ordeinio merched, hyd y deallaf i. Ac mewn llawer man, yn enwedig yn y Trydydd

27

Byd, mae lleianod, ac weithiau ferched lleyg, yn bugeilio a gweinyddu priodas, yn bedyddio ac yn hyfforddi yn y Ffydd. Y pethau mawr y mae'r Eglwys Babyddol yn gwarafun i ferched eu gwneud ydy clywed cyffes sagrafennaidd a gweinyddu craidd yr Offeren, sef cysegru'r elfennau o fara a gwin i fod yn Gorff a Gwaed Crist. Ond, onid Mair, does bosib, yn ei hymateb i neges cariad ei Chrëwr, a roes gorff a gwaed i Grist ar y dechrau cychwyn? Onid hi ydy cynsail pob gweithred o weinyddu'r Offeren gan unrhyw offeiriad?

I mi, o leiaf, mae'n hurt awgrymu na fedr merch fod yn offeiriad am na fedr hi adlewyrchu dynoliaeth gyflawn y Crist gwrywaidd.

Wedi'r cyfan, fel y mae dogfen ddiweddar o'r Babaeth ar hoywder yn honni, mae cyflawnder cyfun, benywaidd a gwrywaidd y ddynoliaeth yn cael ei gynnwys yng Nghrist.

Hwyrach y bydd Mair yn fodd i'n dwyn ni oll at ddelfryd gwell, cyflawnach o ystyr bod yn ddyn neu ddynes: un sy'n pwysleisio urddas pob creadur dynol, yn ogystal â phwysleisio rhinweddau a gysylltir fel arfer â benyweidd-dra ond a ddylai fod yn perthyn i ni i gyd: tynerwch, gostyngeiddrwydd, sirioldeb, dyfalbarhad a dewrder.

4 Arfaeth a Thynged

Pan oeddwn yn laslanc, amser maith yn ôl bellach, fe gawn gyfnodau o'r dymer honno a gysylltir yn yr Americaneg â'r lliw glas, ond yn Gymraeg â'r felan, lliw bustl. Yn sicr ddigon, doedd dim yn anghyffredin yn fy mhrofiad i bryd hynny, ond mi ymdrybaeddwn yn fy nghofid ar brydiau, gan fy ngweld fy hun yn ysglyfaeth i Dynged ddidostur, Thebaidd. Caewn fy hun mewn ystafell dywyll a gwrando'n ingol, dro ar ôl tro, ar Bumed Sumffoni Beethoven nes fy mod i'n gwybod pob nodyn ar gof!

Yn wir, credwn, yn fy niniweidrwydd, y buasai'n weddol hawdd imi arwain y gerddorfa *Concertgebouw* drwy'r gwaith, a'i holl amrywiadau ingol ar bedwar nodyn. Erbyn hyn mae hinsawdd llencyndod wedi newid, fel y mae'r fersiwn bop o'r Bumed Sumffoni wedi gwneud optimydd diamod o'r hen Beethoven, druan. Wrth reswm, i rywun oedd wedi cefnu ar ffydd ei dad a'i fam, ar grefydd ei fedydd, bryd hynny roedd wynebu tynged hyn o fyd fel rhythru ar barodi Beckettaidd o'r Drefn y dysgid amdani. Doedd gen i ddim gwên stoicaidd i'w chynnig yn nannedd y ddrycin o fomiau atomig ac arbrofion niwclear, tlodi byd-eang a'r holl drychinebau personol a ddeuai dros orwel meddwl dyn ifanc, pruddglwyfus; dim ond rhyw hunandosturi sinicaidd.

Yn sicr, doedd gen i ddim i'w ddweud ond naw wfft wrth unrhyw sôn am 'Diolch i Dduw', 'Mae ystyr i boen', 'Fel'na mae hi', 'Mae o wedi mynd at Iesu' neu 'i le gwell', ac ati. Peth hurt oedd Arfaeth, megis pob tynged. Erbyn hyn, a minnau, chwedl Brendan Behan wrth ymateb i gwestiwn nawddoglyd gan Eamonn Andrews un tro, 'a chennyf uchelgais i fod yn Babydd sâl', rwy'n tueddu i adael i'm tafod lithro i ymadroddion megis y rhai a wfftiwn gynt. Ond pa synnwyr, onid un ofergoelus, sydd mewn honni wrth blentyn bach, er enghraifft, mai Iesu (tirion!) sydd wedi dwyn ei dad neu'i fam oddi arno, neu wedi ei lwytho â rhyw groes o anhap neu afiechyd? Pam diolch i Dduw pan fo ynom, mewn gwirionedd, ysfa i'w feio, a dial arno am ein hanffodion?

Dagrau pethau i ni, Gristnogion, wrth alw Duw yn Dad (neu Abba neu Ala) ydy mynnu gwneud hynny fel petaem ni i gyd yn dal yn ein clytiau neu'n sownd wrth ffedogau'n mamau. Pa hawl sydd gennym i briodoli achos ac effaith, a holl ddamweiniau a hap-ddigwyddiadau'r hen fyd yma, i ymyrraeth dwyfol? Os gwneir hynny, pa ystyr sydd yna mwyach i'r syniad o Ewyllys Rydd ar y naill law, ac i'r syniad o Wyrth ar y llaw arall?

Adeg y Groglith mae'n briodol inni geisio wynebu'r hyn a wnaed gennym i Dduw, ym mherson y Duw-ddyn. *Ecce Homo!* 'dan chwip a than ddrain'. Os ydy o'n maddau inni am na wyddom beth ydyn ni'n ei wneud hanner yr amser, y peth lleiaf y medrwn ninnau ei wneud ydy cydnabod mai ni a wnaeth alanastr o'r hen fyd yma. Dydy hyd yn oed ein hoes wyddonol ni ddim yn medru cynnig achos am bob pechod a chamwedd a phoen ac archoll a rhyfel a gorffwyl[l]terau'r ddynoliaeth. Ond dydy hi ddim yn deg beio Duw amdanyn nhw, dybiwn i; ni sy'n tueddu i geisio disodli'r Creawdwr, a gwneud smonach o bethau. Ar y llaw arall, mae gennym ni'r hawl i ymfalchïo yn ein rhan ni yng nghampau'r ddynoliaeth, megis y gresynwn am ein methiannau, heb briodoli popeth i Dduw.

'Heb Dduw; heb ddim,' meddai'r hen air. Ond cabledd, does bosib, fyddai awgrymu mai robotiaid neu bypedau ydym ni, heb unrhyw ran i chwarae yn ein ffawd. Gwnaeth Duw ni'n bartneriaid ag Ef, er i'r bartneriaeth fod yn un mor anghyfartal, ond does dim lle inni ddiolch iddo am bopeth a wnawn ni, ac a wneir gan bobl eraill, er daioni—ar wahân i ddiolch iddo am ein creu ar lun a delw mor aruchel yn y lle cyntaf.

Cael eu dewis fu hanes y disgyblion cyntaf, a'r rhan fwyaf ohonyn nhw'n dal wrth ei ochr er aml godwm. Digwydd cael ei wysio i helpu Iesu i gario'i groes oedd hanes Simon o Gyrene, a dyna sy'n digwydd i'r rhan fwyaf ohonom ni, yntê? Ond am yr hyn a wnawn â'n cyfran ni o bwysau'r groes, mae hynny'n fater o ddewis ar ein rhan. A does dim rhaid inni blygu i'r Drefn nac ufuddhau i orchmynion yn ddifeddwl. Yr hyn a ofynnir gennym, hyd y gwelaf i, ydy ymateb yn ysbryd cariad, ac wedyn gallwn adnewyddu wyneb y ddaear.

Fel gyda'r Forwyn Fair yn ymateb i gyfarchiad Gabriel, nid plant bach eiddil ydym ni, yn derbyn gorchmynion yn ddigwestiwn, ond plant gweddol aeddfed, yn fodlon ymateb, ac os oes raid, llamu tu hwnt i gyrraedd rheswm, ar sail cariad, ond yr un pryd, am gynnig chwarae'n rhan yn nhrefn pethau. Mae Duw yn medru swnio'n drahaus a gormesol, fel pe bai'n mynnu aberth gwaedlyd gennym, fel yn hanes Abraham ac Isaac. Ond profi'r gwrthwyneb y mae'r hanes, yntê? Does dim gofyn inni, ar wahân i Fair, aberthu'n plant. Mae yna ddigon o Herodiaid sydd am herio pwrpas y greadigaeth, am ddisodli trefn Duw, ond yr hyn a wna Duw ydy cynnig gras, cynnig arweiniad a help llaw i ni fedru cael hyd i'n ffordd adref i'w aelwyd Ef.

Rhyfedd wyrth ydy gras, wrth gwrs, a does bosib ei fod yn fympwyol. Ond mae hi'n anodd dirnad sut mae Duw yn procio a chynnig arweiniad ar brydiau. Nid darparu moddion gras fel rhyw fitaminau i'n nerthu i gario ymlaen y mae Duw; nid dim ond creu'r cwbl ac anfon ei Fab i waredu hynny wedyn mewn un weithred fawr ar Galfaria. Nid dyna unig rôl Duw. Mae'r Ysbryd, a esgeulusir gymaint gennym, yn dal i weithredu gyda dynion i adnewyddu wyneb y ddaear. Mae rhaglun y cread arnom ni, wedi'i adnewyddu yn aberth Iesu Grist, ond yn cael ei ail-lunio'n gyson. Yn y fan yna'n rhywle mae rôl yr hyn a elwir yn Rhagluniaeth. Yn emyn mawr David Charles amdano, dangosir ei ryfeddod rhyfedd:

> Rhagluniaeth fawr y nef,
>   Mor rhyfedd yw
> Esboniad helaeth hon
>   O arfaeth Duw:
> Mae'n gwylio llwch y llawr,
>   Mae'n trefnu lluoedd nef,
> Cyflawna'r cwbwl oll
>   O'i gyngor Ef.

Er gwyched yr emyn, mae'n well gen i ddisgrifiad arall a glywais yn rhywle am y modd y mae Rhagluniaeth yn cael ei gweithredu. Yn hwnnw, mae'r Ysbryd Glân yn gweithredu fel rhyw fath o gyfarwyddwr drama. Mae yna sgript greadigol sydd wedi datblygu at uchafbwynt, ond dydy'r plot ddim wedi ei gwblhau, er bod awgrym cryf o natur y diweddglo. Y cyfarwyddwr yn cydweithredu gyda'r actorion, yn unigol ac fel cwmni, sy'n gwneud i'r plot ddatblygu ar sail hynny o sgript sydd ar gael.

Y prif wahaniaeth rhwng gweledigaeth David Charles a'r un arall yma ydy bod yr olaf yn rhoi mwy o le, mwy o ran, i'r creadur yn nhrefn ei achub, ac mae hynny'n rhan sylfaenol o'm cred i, ac o Babyddiaeth fel y gwelaf i hynny.

(Seiliedig ar ysgrif i'r *Faner*)

31

5 Ystyr Marwolaeth

Er nad ydw i'n derbyn mai chwilio am ystyr ydy nod byw, os nad ydym yn defnyddio'r term yn ei ffurf gysefin, yr ydw i'n falch iawn fod mwy a mwy o sylw'n cael ei roi i farwolaeth gan feddylwyr a bugeiliaid dynion o bob math heddiw. Bu llawer gormod o ysgubo'r peth dan y mat. Yn wir, yn ôl yr Archesgob Bloom, o'r Eglwys Uniongred Ddwyreiniol, mae ein hymwadiad â realaeth marwolaeth yn warth ar ddiwylliant y Gorllewin.

Yr ydw i'n edmygydd o waith Syr Thomas Parry-Williams, ac yn hoff iawn o'r bersonoliaeth fwyn ac effro oedd ganddo. Yn wir, mae'n rhaid wrth ryw fath ar weithred o ffydd i gredu mai ei ddiwedd o oedd ei gladdu. Beth bynnag am hynny, petawn i'n credu mai dim ond 'llithro i'r llonyddwch mawr yn ôl' ydy'n diwedd ni ar derfyn ein taith ddaearol, yna fe fuaswn yn debyg o gyfrannu o weledigaeth Ionesco a Beckett mai parodi hurt ydy'r hen fyd yma. Ond mae'n debyg mai ffoi at hedonistiaeth a wnawn i, nid bogeilio fy ngwae fel y gwna Beckett druan!

Ond nid dyna fy nghred. Gweld y byd fel creadigaeth Duw yr ydw i, yn un a ddifwynwyd gan ddynion, mae'n wir, ond yn un a brynwyd wedyn gan y Duw-ddyn, Crist, i fod yn fydysawd y mae iddo i gyd, pob gronyn ohono, dynged anfeidrol. Credaf, ymhlith pethau eraill, yn 'atgyfodiad y cnawd a'r bywyd tragwyddol'. Ac i mi, porth at hynny ydy marwolaeth. Ffaith ydy fy nghred, nid na champwaith rheswm na ffrwyth grym ewyllys. Felly mae gen i bob esgus dros beidio â medru amddiffyn fy syniadau rhag ymosodiadau o du'r athronwyr!

A gall y diwinyddion yn ein plith gael siawns arall i foliannu Duw am iddo 'guddio'r pethau hyn rhag y doethion a'r deallusion' —yr athronwyr a'u tebyg—'a'u datguddio i rai bychain'! Fy unig ddiddordeb i i'r athronwyr ydy fy mod i'n credu, rywsut, fel y dywedodd Maritain, mai *bod* ydy hanfod *bodolaeth*, os goddefir y gair hanfod yn y fan yna. Hefyd, er imi dderbyn rhyw fesur o hyfforddiant mewn gwyddoniaeth, meddygaeth a seicoleg, rydw i'n ymwrthod yn llwyr â'r ddeuoliaeth Ddescartaidd.

Ond fe ddwed ambell un: sut y medrir credu mewn unoliaeth person pan mai ystyr marwolaeth ydy, a dyfynnu'r *Gwyddoniadur*, 'ysgariad y corph (*sic*) a'r enaid oddiwrth ei gilydd'? Y mae yna broblem y bydd yn rhaid imi geisio'i thrafod yn y man, fel y mae yna broblem i lawer wrth geisio credu yn atgyfodiad y cnawd. Eglwyswr oedd fy nhad, a'i ffydd gynnar wedi ei sigo i ryw raddau gan chwalfa'r Rhyfel Mawr, a'r addysg wyddonol a gafodd o. Roedd o'n ddigon o fardd i gredu mewn anfarwoldeb Platonaidd, ond ymataliai hyd yn oed ar ôl iddo ailafael yn ei ffydd, rhag dweud y cymal am atgyfodiad y cnawd wrth gydadrodd y Credo yn ei eglwys. Bydd raid i mi drafod y broblem yma hefyd.

Gwell imi'n gyntaf gydnabod mai cyfraniad cwbl bersonol sy gen i yma, ar sail cred Gristnogol; cred â'r galon yn ogystal â'r meddwl. Cred, er hynny, a dymherwyd drwy imi gael hyfforddiant a phrofiad fel meddyg, cael trafod pobl adeg eu geni ac adeg marwolaeth. Trin pobl, hefyd, ar ffin arall bodolaeth, mewn ysbytai meddwl. Ac ymwneud â rhai sy'n fythol blant—y rhai dan anfantais feddyliol—nid eneidiol; y 'rhai bychain' sy'n ddigon o blant i fynd yn weddol hawdd i deyrnas Dduw, yn ôl eu sgwrsio beth bynnag. Fy mhrofiad i o'r rhain i gyd ydy eu bod yn gweld marwolaeth, a phethau o'r fath, mewn ffordd elfennaidd (nid elfennol), a bod y dimensiwn crefyddol yno'n amlach na pheidio. Pobl iachach a phraffach eu meddyliau sydd, fel arfer, yn ceisio anwybyddu bodolaeth marwolaeth, er enghraifft, a'i guddio oddi wrth blant, onid oddi wrthynt eu hunain.

Pan oeddwn dipyn o brentis seiciatrydd plant, rwy'n cofio plentyn tua saith oed yn cael ei gyflwyno inni am ei fod yn ymwrthod â chwmni dynion. Roedd yr hogyn bach yn ddigon annwyl a bywiog a deallus. Doedd dim problem yn ei berthynas â'i fam nac â'i nain oedd yn byw gyda nhw, nac ag athrawesau neu fodrybedd. Dynion oedd y broblem. Wedi llawer o holi a stilio, daeth yr achos i'r wyneb yn rhyfeddol o amlwg. Yn anaml y ceir achos mor allanol, ac eto mor amlwg. Pan fu farw tad y bachgen, chafodd o ddim mynd i'r cynhebrwng. Cafodd ei gadw gartref, yn chwarae yn ei lofft yng ngofal rhyw ffrind i'r teulu, a'i gymell i gredu nad oedd y fath beth terfynol â marwolaeth a gadael tir, na galar y rhai a adawyd yn unig. Fe ddaeth yr hogyn dros ei golled, ohono'i hun. Dysgodd fwynhau cwmni'i daid fel un tad. Ond bu hwnnw, hefyd, farw ymhen rhyw ddwy flynedd neu dair. Megis y tro cynt, cael ei gadw i fyny'r grisiau fu hanes y bachgen ddiwrnod yr angladd, tra oedd y dynion allan yn claddu a'r merched yn darparu'r ham a'r te yn ôl yr arfer yng nghymoedd y de.

Ond daeth y bachgen i lawr y grisiau yn y man ac agor drws y parlwr ar olgyfa o griw o ddynion ar eu heistedd o amgylch y bwrdd bwyta, mewn du dudew, yn gloddesta'n frwd ond fod golwg brudd ar eu hwynebau. Gweini a wnâi'r merched. Ffodd yr hogyn yn ôl i'w wâl heb i neb sylwi arno. Y casgliad hollol resymol y daeth iddo yn y man oedd mai bwyta'i daid yr oedd y dynion, ac mai dyna a ddigwyddodd i'w dad hefyd. Yn wir, creaduriaid yn difa'i gilydd oedd dynion, mae'n amlwg, a gorau po leiaf fyddai ganddo i'w wneud â nhw. Gair i gall. Mae tueddiad cynyddol yn ein gwlad i guddio marwolaeth oddi wrth blant. Ond, o gael cefnogaeth ystyriol rhieni, fe all plant dreulio galar yn rhyfeddol o dda: 'wylaf wers, tawaf wedy'. Fe welais i ddigon o blant mewn angladdau a gwylnosau yn Iwerddon yn derbyn marwolaeth pobl mewn gwth o oedran fel peth cwbl naturiol a rhesymol, heb feddwl am eiliad mai oferedd ydy bywyd. Wrth reswm, mae marwolaeth plentyn neu riant ym mlodau'i ddyddiau'n achlysur mwy trist.

Dydw i ddim am sôn am y marwolaethau hynny y mae eu hystyr yn fwy cudd hyd yn oed na rhai pobl hen yn ein diwylliant ni, y lluoedd sy'n marw yn eu babandod neu ym mlodau'u dyddiau o newyn neu o bla, oherwydd esgeulustod y gwledydd cyfoethog. Fydda i ddim yn manylu, chwaith, ar agweddau mwyaf ffiaidd angau, gan fod tystiolaeth y bobl sy'n gofalu am y rhai sy'n agos at farw yn dweud mai rhywbeth y gellir ei dderbyn fel peth naturiol ydy angau. Prin ydy'r marwolaethau erchyll, er bod yna ddigon o gystuddiau blin a chwerw, cystuddiau a leddfir i raddau helaeth gan gwmni teulu. Y mae yna lu o enghreifftiau o farwolaethau urddasol a phwrpasol, os nad arwrol yn wir.

Un o'r pethau a ddylanwadodd fwyaf arnaf i yn ystod fy ngyrfa fel meddyg, oedd gofalu am ryw ŵr wedi troi ei hanner cant a ddaeth i Ysbyty Môn ac Arfon, ym Mangor, fel claf a chanddo ganser ar ei dafod. Dod yno i farw a wnaeth Danni (a ddaeth yn sail i raddau i gymeriad o'r enw Larri, sy'n marw yn arwrol yn fy nhipyn nofel *Dychwelyd*). Hen heliwr betiau oedd Danni, o'r dyddiau cyn i hap-chwarae gael ei gyfreithloni yng ngolwg cyfraith gwlad. Hyd y gwn i doedd ganddo fo ddim teulu, a doedd o ddim wedi cael fawr o addysg, nac wedi gwneud llawer o'i fywyd. Yr oedd ei gystudd yn ofnadwy, gyda'r tyfiant yn

34

meddiannu'i geg a'i argeg, gan ymwthio allan o'i enau a'i gwneud hi bron yn amhosib i'w fwydo. Ond yr oedd hi'n bosib cael rhyw faeth hylifol i fewn iddo, ac yntau'n hynod ddiolchgar am hynny. Fe aeth pethau mor ddrwg o ran ei wedd nes i'r merched oedd yn ei nyrsio fethu â goddef y peth, ac fe ges i'r fraint o'i nyrsio fo yn ei wewyr angau. Chwynodd o ddim, dim ond pefrio'i werthfawrogiad allan o'i lygaid bychain yng nghanol ei wyneb cwrs. Wedi iddo farw, fe roddodd rywun ei gopi o o'r Beibl oedd ym mhob ystafell imi. Yr oedd yr hen Ddanni wedi bod yn tanlinellu adnodau o'r Salmau a Llyfr Job. Tipyn o newid o'r *Sporting Life* a'r *Racing Chronicle*! Does gen i ddim amheuaeth nad oedd Danni nid yn unig yn marw'n arwrol, ond yn gweld pwynt i'r holl beth, yn sylweddoli ei fod o'n gwneud rhywbeth o'i fywyd o'r diwedd. Efallai fod rhai ohonoch chi'n meddwl mai nonsens ydy hyn'na, ond o leiaf fe lwyddodd Danni i liniaru pryder a gofid y rhai oedd yn gofalu amdano, ac i arddangos gwedd ddymunol ac aruchel ar y natur ddynol, os na wnaeth ddim byd arall.

Mae'n ddiddorol sylwi, yn ogystal, ar ddarganfyddiadau ymchwil sy'n dangos fod pobl grefyddol yn marw'n *well*, megis, na rhai di-grefydd. Mae'r rhai sydd eisoes yn credu nad oes inni yma ddinas barhaus yn ei chael hi'n haws i dderbyn angau, meddir, a does dim lle inni synnu at hynny, wrth reswm. Aeth dau seiciatrydd o Tsieco-slofacia gam ymhellach, gan geisio creu meddylfryd crefyddol o'r fath mewn pobl oedd mewn cystudd ac yn agos at farwolaeth, er mwyn ei gwneud hi'n haws eu trafod o safbwynt meddygol. Prin ydy'r meddygon sydd am ofalu am y rhai sy'n marw, a phrinnach fyth y cyfleusterau cymwys. Mi ddefnyddiai'r ddau seiciatrydd y soniais amdanyn nhw y cyffur LSD, ac meddan nhw: 'Wedi i'r cleifion gymryd LSD, roeddyn nhw'n fwy hamddenol ynghylch marwolaeth; ddim gymaint o'i ofn; yn fwy agored i'r gred nad diwedd popeth ydy marwolaeth. Cawsant amrywiaeth o'r hyn a alwn ni'n brofiadau trosbersonol. Yn ôl fframwaith ddamcaniaethol Jung, fe'u gelwid yn brofiadau archeteipaidd, yn elfennau allan o'r isymwybod torfol.' Fe ddisgrifir profiadau sy'n gyffredin i'r rhai dan y driniaeth, pobl yn ail-fyw cyfnodau cynnar eu bywyd, hyd yn oed eu geni. A llawer o brofiadau ag iddyn nhw 'ddimensiwn crefyddol', meddir. 'Ymwybyddiaeth o unoliaeth neu o undod cosmig—yr unigolyn yn edrych y tu allan iddo'i hunan: gweld ei fywyd ei hun fel rhan hanfodol o fyd a bydysawd sy'n parhau wedi ei farwolaeth o.' Nid maint y dogn sy'n rheoli'r effaith, ond gallu'r claf i gyfuno'r profiadau â'i bersonoliaeth a'i gyflwr, wedyn. Ond, fel arfer, fe welir gostyngiad sylweddol ym mhryder, iseldra, mewnddrychiad ac insomnia'r claf. Yn aml, fe leiheir ei boen corfforol yn ogystal. Fe newidir cyfundrefn ei werthoedd, yn ôl y Dr Grof. 'Fe ddibrisir gwerth pethau'r byd yma, statws a grym, a chaiff hyn effaith iachusol ar y sawl sy'n marw,' meddir.

Ond y cyfnewidiad pwysicaf ydy'r un yn yr agwedd tuag at farwolaeth. Cyn cymryd yr LSD, derbynnid marwolaeth, fel geni, yn rhan o gylch bywyd, ond ei dderbyn â'r deall, heb ymdeimlo â'r peth. Wedi'r LSD, fe beidia marwolaeth â bod yn fraw, ac yn ddiflas, ac fe'i gwelir fel profiad emosiynol. Y mae'r ymdeimlad o farw a bod wedi'u hail-eni yn thema sy'n digwydd dro ar ôl tro yn nhystiolaeth y rhai a fu dan yr LSD.

Fel y dywed Joan Grof, nid yw ein cymdeithas ni bellach yn rhoi fawr o gyfle inni ymddarparu ar gyfer marwolaeth. Does gennym ni mwyach ddim defodau'n arwyddocáu symudiad dynion drwy wahanol gyfnodau eu bywyd. Gall y profiadau o farw a chael eich ail-eni, dan ddylanwad LSD, fod ymysg y rhai mwyaf dirdynnol, ond gallant hefyd fod ymysg y rhai gwerthfawrocaf. Y maen nhw'n newid agwedd y claf tuag at y farwolaeth fiolegol sydd i ddod. Mae'r peth, meddir, 'fel petasai marwolaeth yn cael ei osod yn ei bersbectif iawn.' Buasai'n ddiddorol cymharu'r driniaeth yma â defodau crefyddol megis yr olew olaf, ond nid dyma'r lle i hynny.

Wrth reswm, i'r meddygon, ni all yr effeithiau hyn fod namyn camdybiaeth hurt, er yn dosturiol. Nid pawb sy'n credu fod pwrpas i fywyd ar wahân i beidio ag achosi trafferth i'ch cydddyn. Ond y mae yna hefyd gyfatebiaeth ryfedd rhwng profiadau fel hyn, dan ddylanwad LSD, â rhai'r bobl hynny a fu farw'n glinigol megis, ond a adferwyd gan feddygaeth. Dywedir fod profiadau cyffelyb yn cael eu disgrifio yn *Llyfr y Meirw* gan y Tibetiaid, sy'n rhyw fath ar gyfarwyddiadur i'r eneidiau ar ôl marwolaeth.

Does dim lle i mi fanylu ar sut i bennu pryd y digwydd marwolaeth, na sut i drafod cystudd a phethau felly. Cafwyd ymdriniaeth lwyr ac eglur ar y pwnc gan ŵr mwy cymwys na mi, ac un a ŵyr dipyn mwy eto am angau erbyn hyn, sef Dr Glyn Penrhyn Jones. (Cyhoeddwyd ei erthygl ar 'Amryliw Wisg Marwolaeth' yn *Y Traethodydd.)*

Dydw i ddim, chwaith, am fanylu yma ar alar: hiraeth creulon am y plentyn neu'r priod, neu'r rhiant a gollwyd. Ing y rhai sydd ar ôl sydd yma; hunandosturi cyfiawn i raddau helaeth. Ond mae profedigaeth yn brawf ar ffydd, wrth iddi rwygo a thrychu darnau o'r hunan; torri perthynas â rhywun annwyl a phwysig yn ein golwg. Y mae lle arbennig i'r gweddw a'r amddifad, a'r rhai sy'n marw mewn unigedd, yn litanïau'r ffydd. Ond y mae galar yn mynd yn llai enbyd fel yr awn yn hŷn. Does dim cymhariaeth yng ngerwinder galar gwraig ganol oed ac un dros ei thrigain a phump, dyweder. Y mae pobl, wrth heneiddio, yn cael eu graddol ddiddyfnu oddi wrth wrthrychau'r byd. Y mae yna alar arall hefyd wedyn, yr hiraeth am y dyddiau a'r hunan a fu, ond galar sy'n cael ei liniaru gan y ffaith fod y synhwyrau'n llai effro a'r meddwl yn pylu. Y mae yna dueddiad i'r person oedrannus droi i fewn arno'i hun yn ormodol, oddi wrth y byd a'i bethau, wrth gyrraedd oed yr addewid, a cholli teulu a chyfeillion. Gall fynd i gyflwr plentynnaidd, narsisistaidd y baban bach yn ei glytiau. a gall ei gorff fynd i'r un cyflwr, wrth reswm. Ond ymgyrraedd y bydd, yn hytrach na dim ond cyrraedd. Y mae yna rywbeth amgenach i rawd person o'r crud i'r bedd na dim ond cyfnod o dwf ac yna un o ddirywiad. Yn sicr ddigon, yn achos y wedd allanol, gorfforol a meddyliol, dyna a welir fynychaf—er bod wyneb doeth ac urddasol llawer hen berson fel petai'n gwrth-ddweud hyn. Ond y mae yna wedd arall i fywyd dynion a merched sydd o leiaf yn estyn y cyfnod o dwf, er bod y wedd hon hefyd yn rhagdybio dirywiad terfynol. Sôn yr ydw i am dwf y deall a'r ewyllys, y praffio a'r ymestyn arnyn nhw wrth inni aeddfedu, cael ein hyfforddi, a dysgu drwy brofiad. Mae hyn yn cynnwys dysgu am bethau—cynyddu mewn gwybodaeth am wrthrychau'r byd a threfn eu perthynas â'i gilydd, a hefyd o ran adnabyddiaeth o bobl. Mae'r seicdreiddwyr, fe gofiwch, wedi disgrifio cyfres o gyfnodau yn nhwf perthynas person â'i amgylchfyd. Y baban sy'n byw ar ei synhwyrau a'i ymwybyddiaeth ohono'i hunan, yn bennaf drwy deimladau ei geg a'i waelodion. Wedyn daw cyfnod o ddechrau bod yn ymwybodol o'i fam, o'i bron a'i dwylo hi, o'r dillad a rydd hi amdano, o gynhesrwydd ei chorff. Wedyn dechrau ei hadnabod fel person, caredig neu angharedig, hael neu grintachlyd, tawel neu anniddig. O hynny fe estynnir y cylch i dad a brodyr a chwiorydd a chyfeillion. Yna dechrau ymsefydlu fel person ar wahân, drwy ffurfio perthynas arbennig â ffrind o'r un rhyw yn aml, cyn cymryd cymar priod, fel arfer o'r rhyw arall. Fe welir bod twf o'r fath yn golygu estyn allan o'r hunan yn raddol, neu gael eich diddyfnu ohono, o'r teulu cysgodol, ac yna mewn oed, ymdrawsblannu a ffurfio teulu newydd. Oherwydd eu pwyslais ar y cymhelliad i ymblesera a chael hunan-foddhad, tueddu i weld henoed, os nad llawer o ganol oed, fel cyfnod o ddirywiad a wnâi llawer o'r siecdreiddwyr hwythau. Ond y mae eu pwyslais ar y gallu yma i ffurfio perthynas sy'n weithgarwch yr ewyllys yn ogystal â'r deall, y galon yn ogystal â'r meddwl, ar adnabod rhywun arall fel un o briodoleddau dynion, yn bwyslais iach, mi gredaf i. Yn wir, mi awn i mor bell â dweud mai dyna nod amgen creadur dynol: medru bod yn oddrych sy'n gallu nid yn unig ymwneud â gwrthrychau—gwybod am bobl a phethau a'u trin a'u trafod, ond hefyd adnabod goddrych arall, medru adnabod person arall. Medru dweud *Ti*, chwedl Martin Buber eto, ac yn medru dirnad felly fy mod yn *Myfi*. Yr ydym yn medru ffurfio *Ni* drwy weithred o rannu'n bod, gweithred o roi ac o dderbyn; gweithred o gariad. Ac onid i hynny y'n crëwyd?

Yr ofn mwyaf, wrth reswm, mewn pobl sy'n wynebu angau, fel y rhai sy'n wynebu gwallgofrwydd neu orffwylledd, ydy ofn peidio â bod. Ac y mae marwolaeth i bob ymddangosiad yn ddiwedd ar fodolaeth y person. Colli cysylltiad â bodau dynol eraill ydy un nod amgen gwallgofrwydd a gorffwylledd, ac onid amod bywyd wedi marwolaeth ydy bod yna Fod tu hwnt i'r ffin yma y mae'r creadur mewn perthynas ag Ef, a bod yna adeg i ddod eto pan ail-gyfennir y person, yn gorff, ewyllys a deall?

Rŵan, rydw i'n credu fod y broses yma a ddisgrifiwyd gan y seicdreiddwyr â cham arall iddi; fod perthynas arall, un o leiaf, nad ydy hi ddim yn darfod, na'r *Tydi*, y person arall, fyth yn siomi nac yn dirwyn i ben nac yn diflannu. Perthynas sydd yna o'r dechrau bron pan y'i himpir ar faban adeg bedydd, ac sy'n graddol dreiddio drwy ei berthynas â phopeth a phobun arall, oni wna'r creadur hwnnw fynd ati'n fwriadol i wrthwneud hynny, a dileu y berthynas arbennig yma. Perthynas â Duw: Creawdwr, Gwaredwr ac Ysbrydolwr y creadur. Mater o gred ydy hyn eto, a rhaid cyfaddef, yn gred sy'n arfer rhag-weld nod o ymbleseru a chanfod hunan-foddhad, yn y berthynas yma â Duw. O gredu fel hyn beth bynnag, fe ellir gweld proses arall yn hanes unigolyn, proses gadarnhaol, un o dwf, sy'n ymestyn hyd at ddiwedd eithaf ei oes, ac a fedr gynnig ystyr a phwrpas i bob eiliad o'i einioes.

Wrth inni golli gafael ar wrthrychau'r byd, wrth inni golli câr a chyfathrach, fe allwn gynnal, a hyd yn oed gynyddu ein perthynas â Duw. Mae'n wir fod y synhwyrau'n pallu; mewn ambell achos mae newid bywyd adeg canol oed yn pylu neu'n drysu rhywfaint ar y berthynas, a gall henoed fod heb unrhyw ddiddanwch. Ond, os iawn brisiwyd a meithrin y berthynas o fod mewn cariad â Chariad ei hun yn nyddiau ieuenctid ac wedyn, yna fe fydd yna ddigon o ffydd a dygnwch i gwffio, os bydd raid, rhag colli'r ffydd honno, a byddwn wedi'n cyflyru'n hunain i fedru cynnal ffydd a gobaith adeg marwolaeth. Hyd yn oed os na fydd gennym ymgeledd teulu nac eglwys yn awr ein hangau—neu'n waeth, gael presenoldeb teulu neu weinidog neu offeiriad o ychydig ffydd, fe all y bydd y Person Arall yn y berthynas anfeidrol wedi cadw oed â ni yn ein hact olaf.

Os mai act olaf ydy marw, 'Nid y marw ydyw'r ffaith fawr yn hanes yr enaid,' chwedl Emrys ap Iwan, 'canys wrth gredu, ac nid ar ôl marw, y mae ef yn dechrau byw ei fywyd newydd a thragwyddol—y mae'r bywyd hwn yn diddymmu (*sic*) angau, ac yn distrywio'r clawdd sy rhwng y ddaear a'r nef, a rhwng amser a thragwyddoldeb.' Sôn am y bywyd goruwchnaturiol y mae o, wrth reswm, ond y mae porth angau yn un y caeir y drws arnoch chi ar ôl mynd trwyddo.

Rydw i'n gweld y peth yn nhermau dameg y Mab Afradlon, yn dod adref yn derfynol o'i grwydro ffôl. Dod adref i wledd o groeso, mae'n wir, ond yn gyntaf, mae iddo groes o'r croeso hwnnw, os nad ydy o eisoes yn sant, mewn perffaith gytgord â'r Cariad sy'n ei groesawu. Yn sgil bod wyneb yn wyneb â Duw, mae yna brofiad o hunan-ddirnadaeth lwyr ac ingol. Gweld yr hunan yn wrthrychol, fel yr ydym yn edrych o'r lle mae Duw yn sefyll, megis, ond nid fel y mae Duw'n dewis ein hadnabod ym maddeuant ei gariad. Byddai bod yn ymwybodol o natur wrthrychol yr hunan, a ninnau wedi ymwadu â'r cariad achubol yna, neu wedi troi cefn arno, yn golygu unigrwydd uffernol. Os mai pobl eraill ydy uffern y byd hwn i M. Sartre, gorfod dioddef yr hunan heb ei waredu ydy uffern y byd tragwyddol, mae'n siŵr. Cred Beckett yn wir ydy mai tynged anochel dyn ydy bod yn unig, mai monolog ydy bywyd. Cyflwr lle y byddid yn dyheu am y math ar farwolaeth sy'n wir erchyll, hwnnw a ddarluniwyd ar ddiwedd nofel Kafka, *Y Prawf*, a chan Ingmar Bergman yn ei ffilm 'Mefus Gwylltion'—lle cafwyd y dyn hwnnw oedd eisiau bod yn hollol,

hollol farw, wedi ei ddileu yn llwyr. Ond yn ôl f'amgyffrediad i o'r bydysawd does dim ffordd i ddileu'r hunan, dim ond peidio â'i gyflawni, a byw am byth heb fod yn perthyn i neb.

Fe soniais am farwolaeth y rhai sy mewn perthynas â Duw fel cyrraedd rhiniog tŷ ein Tad tragwyddol, yn nhermau'r ddameg. Y person cyfan sy'n cyrraedd, wrth reswm, a'r person cyfan sy'n cael croeso—nid ei ysbryd neu ran ohono. Yn ôl fy mhrofiad i o fywyd, fedrais i erioed dderbyn fod yna ddeuoliaeth o gnawd ac enaid mewn dynion, er bod yna wrthdaro sy'n rhwystr i'r integreiddio sy'n amod personoliaeth iach. Ond y mae yna ysgariad, ymddangosiadol o leiaf, yn digwydd o fewn y person adeg ei farw. Nid angel wedi ei gaethiwo mewn cnawd ydy dyn, na chnawdoliad o raglun. Welaf i ddim, chwaith, mai ystyr bodolaeth ydy sefyll y tu allan i'r hunan, ond yn hytrach, sefyll ar wahân— fel yr oedolyn yna gynnau, ar wahân i'r hyn a'n creodd neu a'n hachosodd ni, hynny ydy: bodoli. Fel dynion, nid fel angylion, y'n crewyd ni, ac fel dynion y byddwn farw a byw, o bosib, yn nhŷ ein Tad. Ac mae i ddynion wedd faterol, hyd yn oed os na chydnabyddir mai mater ydy hanfod meidroldeb.

I bobl sy wedi derbyn hyfforddiant gwyddonol, dydy hi ddim yn anodd meddwl am fater yn cael ei drawsnewid—yn ynni, er enghraifft. Ac i'r Cristion, rhywbeth wedi ei greu ydy'r ddaear yma wedi'r cwbl, fel pob daearen arall. Nid medru credu y caiff y corff ei drawsnewid a'i dragwyddoli ydy'r broblem i lawer ohonom ni, sy'n ymwrthod â'r syniad Descartaidd o ddeuoliaeth enaid a chorff, ond beth sy'n digwydd i'r person cyfansawdd yr ydym ni'n credu ynddo fo pan gleddir yr hyn a elwir yn gorff, neu'n weddillion, mewn bedd i bydru. Yr hyn sy'n fy ngalluogi i oresgyn y broblem ydy derbyn nad rhyw ddarnau arbennig o fater yng nghyfansoddiad y *bod dynol* sy'n ei wneud yn ddyn rhagor nag ysbryd, yn *fod* ag iddo fodolaeth dan delerau a thrwy gyfrwng yr empeiraidd, ond bod iddo wedd gnawdol. Wedi'r cwbl, nid yr un rhai ydy celloedd ein cyrff o eiliad i eiliad, gallwn dderbyn trawsblaniad organ neu drychiad aelod neu ddarn o'r cof, heb beidio â bod. Ond y mae ein celloedd, ein cromosomau, ein hormonau a'n holl aelodau yn dylanwadu arnom ni—na, yn hytrach, yn rhan annatod o'n *Myfiau*, yn rhan o'r hyn sy'n deall, yn cofio ac yn gweithredu fel person. A dyfynnu Maritain eto, sy'n dilyn St Tomos o Acwin, fel arfer: 'os mai undod cyfan- sawdd, naturiol yw dyn—yn fiolegol, ddirnadol a rhesymegol, yn rhinwedd ysgogiad y *materia prima* gan ffurf o Fod sy'n ysbryd, y rheswm ydy bod Ffurf (megis hanfod) ynddo'i hunan yn golygu perthynas â Bodolaeth. Yr hyn a elwir yn enaid ydy'r hyn a ddefnyddir gan *Fodolaeth* i ymaflyd yn fy holl *Fod*, fy nghorff a'm synhwyrau a'm meddwl yn ogystal â'r hyn sy'n cynnal y mater dichonadwy, y mae'n rhoi ffurf iddo, mewn bodolaeth.'

Rydw i'n meddwl 'mod i'n deall hyn'na, fwy neu lai. Y mae'n debyg eich bod chi'n ei ddeall—hyd yn oed os nad ydych yn cytuno â'r hyn a ddywedir. Ond o dderbyn hynny, a derbyn mai tynged mater, yn ôl y datguddiad Cristnogol o leiaf, ydy cael ei ysgogi a'i fywiocáu a'i drosgynnu ar ddiwedd y byd hwn, yn ôl i mewn i deyrnas nefoedd, yna does dim ots lle mae'r celloedd yna sy' yn y bedd, yn fwy na'r rhai a adewir ar ôl yn ein bàth a'n geudai, ac a dynnir ohonom ni gan lawfeddygon neu drwy ddamwain. Y mae'r person sy wedi goroesi marwolaeth yn *Fod dynol* a fedr, os bydd wedi'i achub, ysgogi darn arall priodol o fater i roi iddo ei wisg o gnawd ar ei newydd wedd, ar doriad y bore wawr olaf.

Os ydw i, yn wahanol i 'nhad, yn medru dweud gydag argyhoeddiad 'Credaf yn atgyfodiad y cnawd', y mae gen i, yn bersonol, broblem arall ynghylch bywyd tragwyddol. Rydw i'n credu'n gryf mai ewyllys rydd ydy rhodd fawr, fentrus Duw inni. Rhodd enbyd, y mynnodd O ei pharchu hyd yn oed pan oedd O am achub dynion. Cwrteisi Duw inni ydy hyn, y cwrteisi a ddangosodd drwy'r llatai-angel a gyfarchodd Mair, a gofyn ei chydsyniad cyn mynd ymlaen â'r Iawn. Y rhodd hon hefyd a roddodd inni'r cyfle i fod yn falch, yn fyfïol yn ogystal â bod yn Myfi, ac a alltudiodd Lwsiffer o'r nefoedd. Rhodd, felly, sy'n galluogi rhywun wyneb yn wyneb â Duw ei hun, mewn dedwyddwch tragwyddol, heb lyffethair ar ei ewyllys na'i ddeall, i ddewis troi ei gefn ar y cyfan, a dewis difancoll. Sut, felly, y mae gweld marwolaeth yng ngoleuni hyn? A ydy marwolaeth yn dileu ewyllys rydd, yn fferru'r person yn ei natur ar awr ei angau, neu o leiaf yn atal y rhai a achubwyd rhag troi eu cefn ar eu Duw byth mwyach? Onid dyna ydy marw: diwedd ar y rhyddid ewyllys yna?

I mi, mae dedwyddwch tragwyddol yn golygu bod o fewn perthynas y Tad a'r Mab yn Ysbryd Cariad; bod yn perthyn i'r Drindod, heb gael eich llyncu na'ch difa, a hefyd gyda'r sicrwydd nad oes troi'n ôl—nad oes modd cael eich colli mwyach. Yr ydych wedi gwneud eich dewis, wedi cael eich profi ar y ddaear yma, ac wedi dewis cydymffurfio ag ewyllys Duw, â'r hyn a arfaethwyd inni. Nid yn unig mewn dewisiadau *tyngedfennol*, mewn llawn bwyll a rhyddid ewyllys, er gwell neu er gwaeth, neu mewn llamau o ffydd, ond yn y berthynas arall—eto—a selir adeg marwolaeth, er y newidir ei gradd ym mhurdan yr hunan-ddirnadaeth yna a ddaw wedyn. Y berthynas arall yma ydy'r un â'r hunan. Y mae yna ddeuoliaeth mewn dyn, ond nid rhwng corff ac enaid, ond yn y ddau hunan sydd ynom, yn ymwneud â'i gilydd hyd awr ein hangau, pan ddown atom ein hunain yn derfynol megis. Y ddeuoliaeth yma ydy'r crac yn ein cread, y pechod gwreiddiol sydd ynom oll. Ac wrth ymdopi â hi yr ydym yn byw ar y terfyn â marwolaeth gydol ein hoes. Hyn sy'n ein galluogi i fyw heb anghofio realaeth ein tynged derfynol. Fe fu Pawl yn sôn am y peth wrth y Rhufeiniaid, am yr hualau sy ar fodau dynol, ac am natur pechod:

'Ni allaf ddeall fy ngweithredoedd, oherwydd yr wyf yn gwneud, nid y peth yr wyf yn ewyllysio, ond y peth yr wyf yn ei gasáu. Ac os wyf yn gwneud yr union beth sy'n groes i'm hewyllys, yna yr wyf yn cytuno â'r Gyfraith, ac yn cydnabod ei bod yn dda.' (Fe roes Ann Griffiths y peth yn fwy cryno— 'Llwybr cwbl groes i natur'. Ond yn ôl at Pawl!) 'Y mae'r Gwir Ddyn ynof yn ymhyfrydu yng nghyfraith Duw ... ond â'm cnawd yr wyf yn gwasanaethu cyfraith pechod.' Mae ôl Descartes ar Pawl! A does yna ddim brwydr barhaus o fewn y rhan fwyaf ohonom ni. Mae yna gyfnodau o gydymffurfio â'r arfaeth sydd yn ein pridd heb fynd yn groes i arfaeth fwy amlwg Duw, cyfnodau o ddathlu bywyd. Dydw i ddim yn derbyn y cyfystyru yna ar y cnawd a'r pechod mewn dyn, wrth reswm, ond y mae'r syniad o'r Gwir Ddyn yn cydio. Y dyn newydd yna sydd am ymhyfrydu yn nhrefn Duw, ac sy'n cael ei raddol eni drwy gydweithrediad gras gydag ewyllys a deall y person dan sylw, ac yn nannedd gwrthwynebiad Satan a'i giwed. Ac nid drwy'r cnawd yn unig y mae'r rheini'n gweithio i'n denu i odinebu â nhw. Nid hualau sydd yn y cnawd ond amod a chyfrwng ein bodolaeth, ac felly maes llafur gras yw. Y mae'r dyn cyfan, yn ddeall, ewyllys, â'r holl gorffolaeth gyda'i amryfal a'i amrywiol gynheddfau, i ymateb a chael lle yn nhrefn Duw, i ffurfio perthynas gariadus ag Ef. Ac fe enir y Gwir Ddyn yma drwy raddol ladd y dyn arall, yr an-ddyn, mewn proses sydd weithiau fel brwydro, dro arall fel diddyfnu, dro arall eto, fel tywys caredig. Rhywbeth yn debyg i briodas. Mae dyn mewn perthynas gyfnewidiol barhaus â'i hunan, yn creu delweddau amdano'i hun, ac yn eu chwalu neu gyrchu atyn nhw, neu'n ceisio'i ystumio'i hunan iddyn nhw. Delwedd a dirwedd, a thyndra rhyngddyn nhw. Adeiladu a chwalu, llwyddo a methu, a chael eich seithugo. Ac mewn perthynas â phobl eraill y mae o'n medru nid yn unig adnabod goddrych arall, ond gwrthrycholi'r hunan i raddau, a gweld lle mae'n mynd, megis. Dyna be mae Buber yn ei feddwl, mae'n debyg, wrth sôn am adnabod y *Myfi* wrth ddweud *Tydi*. A dyna beth na all pobl orffwyll ei wneud: eu dirnad eu hunain nac ymwneud ag eraill.

Rydw i wedi sôn hyd at syrffed am *berthynas* hyn a'r llall, ond perthynas ydy amod cariad, yntê, ac mae'n rhyfedd mai meddyliwr Iddewig a ddysgodd i mi y gwahaniaeth rhwng Duw cyfiawnder yr Hen Destament a Duw Cariad yr un Newydd.

Yn raddol y tyfa'r *Myfi* yma drwy'n hoes, ond weithiau'n Kirkegaardaidd sydyn, er bod raid ymlafnio wedyn i gynnal penderfyniadau o'r fath a'u cymhathu â gweddill y bersonoliaeth. Yn y diwedd, daw'r person ato'i hun, i wynebu'r act olaf, o farw. Yr act sy'n ddiwedd terfynol ar ryddid ewyllys. Dyna ystyr marwolaeth i mi. Os bydd ei fryd ar y ddelwedd ohono sydd ym meddwl Duw, os bydd wedi ceisio ymdebygu i'w Arglwydd, a'i ganfod yn ei gyd-ddyn, os bydd wedi cadw ffydd, yna fe dyfa'r ddirwedd i'r ddelwedd, a bydd yn blentyn i Dduw. Wedyn, mi gredaf, a chredu heb fawr o straen o ran na deall nac ewyllys— hyd yn hyn o leiaf, y bydd yn cyrraedd y Jeriwsalem newydd, a byw yn adnabyddiaeth a chariad Duw yn oes oesoedd.

(Darlith i gynhadledd ar y cyd i Gyfadrannau Diwinyddol ac Athronyddol Urdd Graddedigion y Brifysgol)

6 Y Pethau Terfynol

Yn draddodiadol, o leiaf, angau, barn, nefoedd ac uffern ydy'r pethau terfynol ym meddwl y rhan fwyaf o gredinwyr. Yn ôl rhai eraill, ar y llaw arall, mae'r syniad o uffern, a chosb dragwyddol, ddi-droi'n-ôl, yn ddiraddiol i ddyn. Yn ôl Llyfr Doethineb:

> Ar wahân i ti, sydd â gofal am bob un, nid oes yr un duw iti gael dangos iddo nad oedd dy ddyfarniad yn anghyfiawn; oherwydd y mae dy nerth di yn ffynhonnell cyfiawnder, a'th benarglwyddiaeth yn peri iti arbed pawb.
>
> Pan amheuir cyflawnder dy allu, yna y byddi'n datguddio dy nerth; ymhlith y rhai sy'n gwybod yr wyt yn condemnio haerllugrwydd; ond yr wyt ti, yn dy benarglwyddiaeth nerthol, yn barnu'n dirion ac yn rheoli ag ymatal mawr, am fod gallu ar gael iti bryd hynny.
>
> Dysgaist dy bobl trwy'r fath weithredoedd fod yn rhaid i'r dyn cyfiawn garu ei gyd-ddyn; a pheraist i'th feibion obeithio'n hyderus dy fod yn rhoi edifeirwch am bechodau.

Mae hyn yn awgrymu fod Duw yn fodlon mynd i'r eithaf i gadw perthynas gariadus rhyngddo â phob creadur dynol, ni waeth beth fo'i bechod. Mae mewn cariad â'i greaduriaid, a chael bod mewn cariad gydag Ef ydy ystyr nefoedd, does bosib.

Ond dydy cariad ddim yn medru cyd-fyw â phriodas neu berthynas orfod, wrth gwrs; dyna pam fod y cysyniad o Uffern yn un dyrchafol, yn awgrymu fod Ewyllys Rydd gennym, a'n bod felly yn medru bod yn fodau moesol. Mae'n golygu fod Duw mor gwrtais tuag atom fel na feiddiai ymyrryd â'n rhyddid, hyd yn oed i'w wrthod Ef a'r gwynfyd y mae'n ei gynnig inni. Ar y llaw arall, dim ond inni gydsynio, dangos y mymryn lleiaf o edifeirwch, yna fe aiff Duw i'r eithaf i'n hachub, fel Bugail Da.

Mae Graham Greene wedi cyfleu'r syniad fod Duw yn maddau yn rhad ein holl bechodau ni, dim ond inni ofyn amdano, yn gampus yn ei nofel *The Power and the Glory*. Yno, mae hen offeiriad o feddwyn yn crefu ar y pechadur mawr i ddangos gronyn o edifeirwch wrth iddo wynebu angau, er mwyn agor drws trugaredd a gadael i Dduw wneud ei briod orchwyl.

Mae'n anodd ofnadwy meddwl am faddeuant i rai fel Hitler a

Stalin, y cigyddion yn Bosnia, Rwanda, Iwerddon, Chile, Cambodia, El Salvador a mannau tebyg drwy'r oesoedd. Ac mae hyn yn codi'r cwestiwn 'a oes yna Ddiafol'? Mae digon o ôl drygioni ar yr hen fyd yma, wrth gwrs. Pobl fel Iago yn Othello Shakespeare, er enghraifft. Cwestiwn mwy dyrys ydy a oes yna'r hyn a elwir yn rhagluniaeth y Diafol yn nrama Saunders Lewis, *Brad*: rhyw rym bwriadus, deallus ar dân dros ddrygioni? Pwy a ŵyr yr ateb? Eto, mae digon o ôl drygioni ar ein byd ni—ac nid dim ond methiant i gyflawni'r hyn a gaiff ei ddirnad sy'n gyfiawn.

Mae yna beth wmbredd o ddioddefaint di-ystyr, onid oes? Ydy hi'n bosib mai yn ôl ein hymateb i'r croesau a osodir arnom ni y cawn ein barnu? Sut yr ydym ni wedi ymdopi â phroblemau dyrys ein bywyd, ein rhwystredigaethau, damweiniau o bob math, profedigaethau yng ngwir ystyr gyflawn y gair?

Mae cymaint o hynny mor afresymol, afresymegol, nes bod dyn yn holi sut y medrir dwyn person i gyfrif am ei ymateb i bethau mor hurt. Ond onid Theatr Hurt, Theatr yr Absŵrd, ydy'n holl fywyd ni ar yr hen 'hwrdy o ddaear' yma? Pam y dylai unrhyw un orfod dioddef am iddo ymateb orau y gallodd, o bosib, i orthrymderau bywyd? Pam y dylem ni orfod gwneud penyd a dioddef poen? Pam y dylai unrhyw un orfod wynebu Dydd y Farn? Wel, yn eithaf fy nirnadaeth, rydw i'n coelio fod yna Ddydd y Farn; barn yn ystyr y llinell: 'Beirdd byd barnant wŷr o galon'. Barn, nid beirniadu. Ond i mi, mae wyneb y Barnwr yn wên, yn sirioldeb, yn dyner, yn dadol/famol, ac felly am byth.

Does yna ddim Duw i mi sy'n dweud 'Chwi a ewch y ffordd yma, a chwithau y ffordd acw', dim ond y posibilrwydd enbyd, oherwydd Ewyllys Rydd, y medr rhywun wrthod Duw, gwrthod daioni, ei esgymuno'i hun o'r teulu dynol sy'n blant i Dduw, ac wedyn bod mewn unigrwydd tragwyddol. Ac unigrwydd yw fy syniad i o eithaf poen.

Ar y llaw arall, dydy hi ddim mor anodd â hynny meddwl am Hitler a'i debyg wedi troi cefn ar Dduw a dynoliaeth. Sut arall y gall neb ddirnad diawledigrwydd eu gweithredoedd? Ond, i fynd yn ôl i ysbryd y dyfyniad uchod o Lyfr Doethineb: 'Na farna, fel na'th farner' a'i piau hi. Mae'n sicr y medr unrhyw un gael maddeuant ond iddo ddymuno hynny, a bod yn edifar am bechu yn erbyn Cariad ei hun.

Rydw i'n gwybod nad ydy Llyfr Doethineb ym Meibl pob Cymro a Chymraes, ac i Luther ystyried ei fod yn rhy ryddfrydig gan ddwyn ethos athroniaeth y Groegiaid gynt i mewn i'r Ysgrythurau. Yr un pryd, dydw i ddim yn teimlo'n rhy ryfygus wrth ddyfynnu ohono yma gan ei fod, yn fy nhyb i, mor gydnaws â chymaint o'r hyn a bregethai'n Harglwydd am y Pethau Terfynol a Thragwyddol.

Yn gydnaws, hefyd, â'm cred fach innau fod yna fywyd tragwyddol. Mae hwnnw'n medru bod yn llawn Cariad y tu hwnt i'n dirnadaeth, ond na fedrir gweld gwerth mewn bydysawd o'r fath heb arddel y posibilrwydd fod yna Uffern hefyd y tu hwnt i'r llen—yn ogystal ag ar yr hen ddaear yma!

7 Yr Offeren

Diolch byth, a chanmil diolch,
    Diolch tra bo yno'i chwyth
Am fod gwrthrych i'w addoli,
    A thestun cân i bara byth;
Yn fy natur wedi ei demtio,
    Fel y gwaela' o ddynol ryw,
Yn ddyn bach, yn wan, yn ddinerth,
    Yn anfeidrol wir a bywiol Dduw.

Nid am yr Offeren, neu'r Cymun Sanctaidd neu'r Ewcharist, yr oedd Ann Griffiths yn sôn yn y fan yna, wrth gwrs. Ond mae a wnelo ei dirnadaeth ryfeddol hi o natur addoliad a diolchgarwch â hanfod yr Offeren. Diolchgarwch ydy ystyr y gair Ewcharist; y wledd deuluol lle mae Crist a'i frodyr a'i chwiorydd yn ail adrodd y Swper Olaf, ac yn ein dwyn ni'n ôl at holl hanes ein creu a'n iacháu, mewn gweithred o addoliad, diolchgarwch a chymundod.

Dywedodd edmygydd mawr o'r Fendigaid Ann, Saunders Lewis, iddo droi'n Babydd am un rheswm: am ei fod yn meddwl 'mai yn Offeren yr Eglwys Gatholig y mae Duw yn cael ei addoli fel y dylai ef gael ei addoli gan ddynion.'

Yn awr, does dim yn fwy esgymun i wir grefydd nag eilun-addoliaeth. Nid oes unrhyw wrthrych, syniad, egwyddor na chreadur yn deilwng o addoliad, nac o ddiolchgarwch llwyr a di-amod. Pan syrthiwn mewn cariad rydym ni'n aml yn teimlo ein bod yn addoli'n cariad; ac o weld y wedd ddelfrydol arni neu arno yn unig, mae yna le i'r fath deimlad, gan mai cysgod neu adlewyrchiad sydd yna o'r hyn a grewyd yn wreiddiol gan yr Hollalluog.

Does dim hawl na diben i addoli dim nad ydy'n berffaith, yn anfeidrol, fel y dywedodd Ann. Yn wir, hanfod gau-addoliad o'r fath fyddai bod yn sentimentalaidd, onid yn gableddus. Ond mae yna awch dwfn, dybiwn i, yn y natur ddynol am ganfod rhyw berson sy'n hollol ddibynadwy, na wnaiff fyth ein siomi os ymddiriedwn ynddo, ac sy'n wir deilwng o bob clod a pharch a mawl a bri y medrwn ni ei gynnig iddo. Yn destun 'cân i bara byth'.

Mae Saunders Lewis, yn ei ddarlith enwog ar Ann, yn diffinio addoli fel 'edrych anhunanol, edrych hollol werthfawrogol, edrych sy'n rhyfeddu ac yn addoli ac yn fendith ac yn llawenydd pur, heb ddim o'r hunan na chofio am hunan yn agos ato.' Ac, mewn man arall, atebodd gwestiwn rhethregol Puleston Jones, 'Beth yw'r Groes heblaw Datguddiad?' drwy haeru mai 'Aberth y Groes yw unig addoliad digonol y ddynoliaeth oll. Ar wahân iddo nid oes addoliad. Ynddo a thrwyddo y mae pob addoliad arall.'

Mae'r geiriau 'ynddo a thrwyddo' yn digwydd mewn man holl bwysig yn yr Offeren. Pan fo'r elfennau sydd wedi'u trawsylweddu'n gorff a gwaed go iawn Iesu Grist ar fin cael eu dosbarthu yn y Cymun, mae'r offeiriad yn eu dyrchafu nhw mewn gweithred o Grist yn addoli'r Tad yn undod yr Ysbryd Glân.

Hyn sy'n cloi'r sagrafen megis, yn uchafbwynt yr addoliad, yn gonglfaen yr Ewcharist ac yn rhagflas o'r hyn a ddigwydd rhyw ddydd pan ddyrchefir yr holl ddaear yn ôl at yr Hwn a'i creodd, ei phrynu a'i hadnewyddu. Cyn cysegru'r bara a'r gwin, mae'r offeiriad yn eu disgrifio fel 'ffrwyth y ddaear a gwaith dwylo dynion'. Mae hyn yn arwyddo fod tynged dragwyddol i bopeth materol pan yw dyn yn cydweithredu â gras Duw i'w sancteiddio. Y mae'n cnawd materol i'w atgyfodi a'i ogoneddu yn y nef. Nid 'y bedd, i ni, yw'r diwedd, Mr Duw'! 'Mae'r oll yn gysegredig,' ac mae hyd yn oed y Chwilen ar Ddom, fel y dywedodd Pennar Davies, yn medru bod yn rhan o'r patrwm o droi'r byd yn fydysawd.

I Babyddion, wrth gwrs, mae Iesu Grist yn wir faterol bresennol, gorff a gwaed ac enaid, yn yr afrlladen o fara a'r gwin yn y cwpan ar ôl eu cysegru gyda geiriau Crist yn y Swper Olaf. Rydym yn cymryd Crist ar ei air pan ddywedodd:

'Hwn yw fy nghorff . . . Hwn yw fy ngwaed.'

Roedd wedi rhag-weld hyn drannoeth bwydo'r Pum Mil, pan ddywedodd:

Myfi yw bara'r bywyd . . . y gwir fara o'r nef . . . A'r bara sydd gennyf i'w roi yw fy nghnawd . . . Y mae gan yr hwn sy'n bwyta fy nghnawd i ac yn yfed fy ngwaed i fywyd tragwyddol yn ei feddiant . . . Gweithiwch, nid am y bwyd sy'n darfod, ond am y bwyd sy'n para i fywyd tragwyddol.'

48

Mae'r undod, y cymundod a geir drwy fwyta'r bara a'r gwin cysegredig, yn dilyn o eiriau Crist:

'Y mae'r hwn sy'n bwyta fy nghnawd i ac yn yfed fy ngwaed i yn aros ynof fi, a minnau ynddo yntau.'

Oni chredid ym mhresenoldeb llythrennol Crist yn y bara a'r gwin ar ôl eu cysegru, coffa'n unig a geid yn y ddefod, a byddai sôn am addoli Crist yn yr elfennau yn gabledd. Ond os gwir ein cred fel Pabyddion, yna mae'n addas a chyfiawn i ninnau, yn ein dwthwn ni, gael addoli Duw yn y cnawd a thrwy hynny ymuno yn addoliad tri pherson y Drindod â'i gilydd. Ymuno gyda Mair a'r disgyblion a gafodd ei adnabod a'i addoli yn ystod ei ddyddiau ar y ddaear yma, yn ei bregethu, yn ei aberth ar y Groes, yn ei Atgyfodiad a'i Ddyrchafael i'r nef.

Nid y gynulleidfa yn unig, na hi ynghyd â'r Crist sy'n bresennol ynddi,—nid nhw'n unig sy'n cymryd rhan yn y weithred o addoli a diolch. Mae'r greadigaeth oll, y bydysawd, yn rhan o'r dod ynghyd yma rhwng y tragwyddol a'r meidrol, ym 'Mhabell y Cyfarfod', ar awr anterth yr Offeren: 'Duw a dyn yn gweiddi ''Digon'' yn Iesu'r aberth hedd.'

Fe fydd estyn ar yr uniad yna yn y Cymuno unigol yn rhan olaf yr Offeren, ac uno fel cymuned hefyd, fel y mae'r Eglwys gyfan yn sagrafen o gorff Crist. 'Oblegid nyni yn llawer, ydym un bara ac un corff: canys yr ydym ni oll yn gyfranogion o'r un bara.'

Wrth gwrs, nid rhyw ganibalyddiaeth sydd yma. Dydy'r bara a'r gwin ddim yn newid eu blas na'u ffurf. I bob prawf gwyddonol, dynol, dim ond bara a gwin sydd yna ar ôl eu cysegru. Ond maen nhw wedi eu trawsylweddu'n ysbrydol i fod yn gorff a gwaed Iesu Grist.

I bwysleisio anferthedd y newid, a'r ffaith fod ein Gwaredwr am ddod i lawr ar ein hallor, i'n cymhwyso ni ar gyfer yr addoli hwnnw, mae yna rannau paratoadol o'r Offeren. Yn fras, mae yna weithred gyhoeddus o gyffesu pechodau ac o gymodi â Duw ac â'n gilydd, 'er mwyn bod yn deilwng i ddathlu'r dirgeleddau sanctaidd.' Wedyn, adroddir y *Gloria*, y newydd da a gyhoeddodd yr angylion i'r bugeiliaid:

Gogoniant yn y Goruchaf i Dduw ac ar y ddaear tangnefedd i ddynion o ewyllys da . . .

Dilynir hyn gan ddarlleniadau amrywiol o'r Ysgrythur, ond mai'r un rhai a ddarllenir ym mhob Eglwys Babyddol drwy'r byd: darn o'r Hen Destament, Salm, a darn o'r Epistolau neu Lyfr yr Actau, ac yna rhan o'r Efengylau. Dros gyfnod o dair blynedd, bydd yr holl Feibl wedi ei ddarllen ar goedd. Dilynir y darlleniadau gan bregeth gymharol fer, yn egluro'r darlleniadau. Ceir rhai gweddïau achlysurol, yn aml o'r frest, cyn proffesu hanfod ein cred drwy adrodd *Credo'r Apostolion*, sy'n cloi Gwasanaeth y Gair.

Wedyn eir ymlaen at wasanaeth y cysegru, sef y Canon. Ac ar ôl hwnnw y bydd y Cymun.

Mae'r darllen o'r Ysgrythurau a llawer o ddefodau'r Offeren yn deillio, wrth gwrs, o fyd y synagog a'r Hen Gyfamod. Datblygu fu hanes yr Offeren allan o hen aberthau'r Deml Iddewig yn Jerwsalem, a'r Swper teuluol ar wylnos y Sabath ac ar wyliau arbennig, yn enwedig y Pasg. Datblygu, nid disodli. Symudwyd o aberthu anifeiliaid yn oes Jethro, tad-yng-nghyfraith Moses, i hunan-aberth Duw yng Nghrist. Fel y gwnaeth yn achos Abraham ac Isaac, roedd Duw am ddangos nad oedd am gael aberth o'r fath.

Gwell cael addoliad a diolchgarwch heb aberth gwaedlyd, heblaw yr un perffaith a ddigwyddodd ar Galfaria gynt, ond sy'n barhaus hyd ddiwedd amser. Eisoes, yn hanes Israel cyn Crist mewn cymunedau fel yr un yn Cwmrân, roedd yr aberthu wedi ei ddisodli gan y Becaroth: y weddi fawr o fendith ac o ddiolch-garwch sy'n gysylltiedig â phrydau bwyd defodol Iddewig. Roedd y Rabbi yn honni fod y bara a dorrir yn cynrychioli'r bwyd aruchelaf: bara'r bywyd, a roddid gan Dduw. Ac roedd y ddefod o'i dorri a'i gyd-fwyta yn arwydd o undod yr Iddewon ar wasgar yn y corff atgyfodedig y soniodd Eseciel amdano. Yr un modd, ers cyfnod Eseia, roedd gwin y ddefod yn sumbol o bobl Dduw a ddiwreiddiwyd yn yr Aifft er mwyn cael eu hail-blannu yn Seion gan Ddafydd. Ceir datblygiad o'r cysyniad yna yn Efengyl Ioan, lle mae'r Efengylydd yn gweld y gwin yn yr Offeren fel arwydd o Ddioddefaint Crist.

Roedd y pryd defodol yn goffâd o'r Pasg a'r Exodus o'r caethiwed yn yr Aifft, ac yn rhagfynegiad o ddyfodiad y Meseia ryw ddydd. Cyfeiriodd Iesu at hyn: 'Rwy'n dweud wrthych y daw llawer o'r dwyrain a'r gorllewin a chymryd eu lle wrth y wledd gydag Abraham ac Isaac a Jacob yn nheyrnas nefoedd.' Ac mae'r

Offeren, yr Ewcharist, hefyd yn bryd sy'n goffâd, yn wledd Feseianaidd, ac yn ddiolchgarwch. Ond Crist ei hun, drwy'r offeiriad a'r gynulleidfa, sy'n llywyddu yn y wledd.

Y mae yno, yn gorfforol bresennol, yn ein dwyn ninnau—'a elwir i wledd yr Oen'—y tu hwnt i amser a lle, i'w ymgnawdoliad, ei ddioddefaint a'i atgyfodiad. Drwy'r Weddi o Gysegriad, y Canon, y mae hyn yn digwydd. Ynddi, mae'r offeiriad yn derbyn y bara a'r gwin sydd i'w cysegru—'ffrwyth y ddaear a gwaith dwylo dynion'—i fod yn 'fwyd a diod ysbrydol'. Cyflwynir nhw i Dduw, gan hyderu y gwnaiff ef eu defnyddio i'n galluogi ni 'i gyfranogi o'i Dduwdod ef a ymostyngodd i gyfranogi o'n dyndod ni'. Rhagwelir yr hyn sy'n mynd i ddigwydd yn y cysegru yng ngeiriau'r *Sanctus*, sy'n cynnig Hosanna yn y goruchaf ac yn bendithio'r 'Hwn sy'n dyfod yn enw'r Arglwydd'. Eir ymlaen i gysegru'r elfennau gyda geiriau a grym holl-bresennol Crist, o'r Swper Olaf:

Cymerwch, bwytewch ohono bawb: hwn yw fy nghorff a roddir drosoch ... Hwn yw cwpan fy ngwaed o'r cyfamod newydd a thragwyddol, a dywelltir drosoch chwi a thros bawb er maddeuant pechodau. Gwnewch hyn er cof amdanaf.'

Geiriau digon cyfarwydd i Gristnogion, ond y gwahaniaeth yn achos Pabyddion ydy ein bod yn eu cymryd yn llythrennol, ac o sylweddoli fod Crist yn gorfforol bresennol ar yr allor, yn plygu i'w addoli yn 'anfeidrol wir a bywiol Dduw'. Cyflwynwn ein hunain gyda Christ, yn ei un a'i berffaith aberth ar Galfaria, mewn gweithred o addoliad a diolchgarwch. Gweddïwn wedyn dros yr Eglwys ymysg y meirw a'r byw, a chloi gyda'r geiriau y cyfeiriwyd atynt:

Trwyddo Ef, a chydag Ef ac ynddo Ef, y mae i ti, Dduw Dad hollalluog, yn undod yr Ysbryd Glân bob anrhydedd a gogoniant, yn oes oesoedd.

Mewn undod ysbrydol â Christ erbyn hyn, gobeithio, rydym yn ymuno'n hyderus yn ei weddi ef, sef yr 'Ein Tad'. Ceir defod fer o fynegi tangnefedd i'n gilydd, drwy ysgwyd llaw neu gusan. Yna deuir at yr allor i dderbyn Crist wrth i'r offeiriad ddweud:

Wele Oen Duw, wele'r hwn sy'n dwyn ymaith bechodau'r byd. Gwyn eu byd y rhai a elwir i Wledd yr Oen, a'r offeiriad a'r gynulleidfa yn ymateb i'r gwahoddiad yng ngeiriau'r canwriad:

Arglwydd, nid wyf i'n deilwng iti ddyfod dan fy nho, eithr yn unig dywed y gair a daw fy enaid yn iach.

Bellach, dylem fod yn teimlo fel Waldo, fod:

> . . . rhwydwaith dirgel Duw
> Yn cydio pob dyn byw;
> Cymod a chyflawn we
> Myfi, Tydi, Efe.

Ar ôl y Cymun, a gweddi fer i ddiolch am hynny, ceir y fendith olaf a'r gynulleidfa'n ateb: 'Diolch i ti, O Dduw'.

Wrth ymadael â'r eglwys, rydym yn ymwybodol inni dderbyn Crist, gorff a gwaed ac enaid; rydym wedi atgyfnerthu ein perthynas ag Ef, fel celloedd neu aelodau o'i Gorff cyfriniol, sef ei Eglwys fawr, 'fry yn y nef ac ar y llawr'.

Dyna, yn fras iawn, batrwm, natur a hanfod yr Offeren, prif ddefod a sagrafen yr Eglwys Gatholig.

YR YMARFEROL

8 Pechod

'Bechod!' meddan nhw ym Mangor a'r cylch pan fo rhywbeth trist neu anffodus yn digwydd. Tristwch: gresynu am nad ydy bywyd yn ddelfrydol, ddim yn gweithio; fod dynion a merched ar brydiau yn gwneud pethau gwael a ffiaidd i'w gilydd, er nad ydyn nhw'n dymuno gwneud felly fel arfer.

Mae'n syniad tra gwahanol i'r hen un am Bechod fel rhywbeth aflan, fel pla neu lygredd. Y syniad fod rhywun yn mynd i ddifancoll am ddwyn cot neu osod ei law ar glun merch, neu yfed y ddiod gadarn. Er bod y cysyniad o bechod yn holl bwysig i lenyddiaeth yn ôl Saunders Lewis, ac yn wrthbwynt a ddichon arddangos gwychder natur dyn ar ei aruchelaf. 'Golau arall yw tywyllwch, i arddangos gwir brydferthwch . . .'

Nid gwrthod y syniad o bechod a phechu yr ydw i, gan fy mod i'n derbyn bod drygioni ac aflendid yn ffaith ganolog ym mywyd y ddynoliaeth, ond nid felly bethau di-fywyd, di-ewyllys fel diod neu dabled neu beth bynnag sy'n 'bechadurus'. Yr hyn a wna dynion a merched yn eu pwyll â nhw ydy'r drafferth. Wedi'r cyfan, fe ddichon yr oll fod yn gysegredig.

Ym mherthynas pobl â'i gilydd, y mae sôn am ddrwg a da mewn ystyr foesol. A'r moesoldeb hwnnw'n un o'r pethau sy'n gwahaniaethu dynion a merched oddi wrth bob creadur byw arall, wrth reswm. Y rhodd o ewyllys rydd, fel y dywedwyd, sy'n ein galluogi ni i ddewis rhwng drwg a da, neu ddau ddrwg neu ddau ddaioni; dewis yn foesol, yn ôl y goleuni a ddaw o'n cydwybod. Ac ystyr daioni ydy'r hyn sy'n hybu ein dynoldeb llawn ni, sy'n gyson â hanfodion ein natur; yr hyn sy'n meithrin ein perthynas â'r hwn a'n creodd, a'n hachubodd ac sy'n ein cynnal.

Mae moesoldeb, yn yr ystyr yma, yn rhywbeth sy'n gorfod bod yn bresennol ym mhob cwr o'r ddaear, ym mhob twll a chornel o'r profiad dynol—o'r ystafell fwyta i'r ystafell wely, o'r gweithdy i'r coleg i'r farchnad.

Yr un pryd, rhaid cydnabod nad ydy Ewyllys Rydd yn golygu bod pawb a phobun yn wir a chwbl rydd i ddirnad y dewisiadau moesol sy'n ei wynebu, nac i fedru gwneud y dewis pan fo hwnnw'n weddol amlwg. Mae ynom dueddiadau a llyffetheiriau sy'n deillio o'n cyfansoddiad cynhenid a'n magwraeth. A thuedd llawer yn ein plith ydy gwneud o'n gwendid neu'n ffaeleddau eu safonau neu feini prawf moesol. A rhoi'r peth braidd yn eithafol, dydy rhywun a fagwyd mewn cartref efo rhiant sy'n alcoholig treisiol ddim yn gwbl rydd i iawn-farnu gwerth a pheryglon defnyddio alcohol, mwy nag ydy rhywun a gamdriniwyd yn rhywiol gan ei riant yn mynd i'w chael hi'n hawdd i ystyried ymrwymo i gymar, priodi a magu teulu.

Dydy hi ddim yn bosib chwaith, fel arfer, i rywun a sylweddolodd adeg glasoed mai aelodau o'r un rhyw sy'n codi chwant arno fo neu hi, i ddewis cydymffurfio â'r foesoldeb draddodiadol sy'n mynnu nad ydy cyfathrach rywiol ddim yn gyfreithlon ond rhwng gŵr a gwraig briod.

A oes yna safonau gwrthrychol, felly, ynteu ai mater o sefyllfa a mympwy unigolion ydy'r unig beth sy'n cyfrif? A gaiff pob un wneud yn ôl ei ffansi, ond iddo fo neu hi geisio peidio â gwneud gormod i ymyrryd â hawliau pobl eraill i wneud yn ôl eu dewis nhw? Beth ydy barn yr Eglwys Babyddol ar hyn?

O safbwynt cyfraith gwlad, mae'r Eglwys wedi bod yn amwys, ond yn gyffredinol mae hi'n datgan nad oes disgwyl i gyfraith gwlad gydymffurfio â chyfraith Duw. Er enghraifft, dydy hi ddim am weld godinebu yn drosedd, er ei fod yn bechod. Ond mae'r Eglwys yn pwyso ar yr awdurdodau sifil i ddwys-ystyried effeithiau ysgaru ar blant a henoed a phawb arall o fewn y teuluoedd sy'n chwalu. Rhaid cofio fod yna, o ddiffiniad, fwy na dau oedolyn rhydd yn cael eu heffeithio, i ryw raddau o leiaf, gan odineb, a chymaint yn fwy felly gan ysgariad.

Beth sydd gan yr Eglwys i'w ddweud am gyfrifoldeb unigolion yn ôl y gyfraith foesol, cyfrifoldeb pobl am eu pechodau a sgil-effeithiau'r rheini? Wel, ar y naill law mae'r Pab presennol, fel y rhan fwyaf o'i ragflaenwyr, yn mynnu fod rhai pethau'n gynhenid ddrwg: 'Llofruddiaeth ydy llofruddiaeth, ydy llofruddiaeth,' meddai dro ar ôl tro, o'i ble i'r IRA yn Drogheda a'r carfanau sy'n darnio Bosnia, hyd at bob pregeth ganddo yn erbyn cyfalafiaeth benrydd a chomiwnyddiaeth anffyddol, ysgariad, ewthanasia ac erthylu bwriadol.

Ar y llaw arall, mae'r Eglwys yn cydnabod sefyllfa ddyrys dyn, ac mor anodd ydy hi i ddirnad a gweithredu'r cyfiawn yn gyson. Mae'r ddogfen ddiweddaraf o'r Fatican ar Gyfunrywioldeb, neu Hoywder, yn mynnu bod y weithred rywiol gan bobl hoyw a lesbiaid (sy'n cael ei chyflawni gyda'r organau cenhedlu—nid anwesau serch a chyfeillgarwch) yn hanfodol ddrwg a phechadurus 'ynddynt eu hunain'. Ond mae yna hefyd gydnabod fod sefyllfa arbennig person, ei natur gynhenid, y pwysau all fod arno, a'r angen am gysur ac ymgeledd, yn gallu golygu nad ydy'r weithred honno yn oddrychol anfoesol. Rhaid i bob un ufuddhau i'w gydwybod, ond mae arno ddyletswydd i feithrin honno'n gyson drwy ddarllen, gwrando ar gyngor a phregeth, myfyrio a gweddïo ym mhob rhyw ffordd. Nid tocyn-crwydro ydy cydwybod, ond tywysydd y mae'n rhaid iddo gael gwybod be ydy be yn gyson.

I rai pobl mae hyn'na'n drewi o achosiaeth neu o ragrith. I mi, mae'n ymateb digon teg i gymhlethdod bywyd dynol. Na farna, fel na'th farner, ond mae'n rhaid weithiau roi rhyw arweiniad neu fe geir anarchiaeth foesol, a hynny'n ymyrryd ag ewyllys rydd pobl eraill. Fel y dywedais eisoes, mae'r Eglwys Babyddol yn tueddu i osod y delfrydol ger bron wrth bregethu neu athrawiaethu, ac ymwneud â'r achlysurol, y sefyllfaol—amgylchiadau'r pechadur truan—yn y gyffesgell. Dyna greodd yr hen ensyniad fod Pabyddion yn rhydd i bechu fel y mynnan nhw, ond iddyn nhw gyffesu wedyn! Fel y soniwyd uchod, mater o unioni perthynas, yn hytrach na gwneud iawn, ydy Sagrafen y Cymod neu'r Penyd—yr hen Gyffes—yn bennaf; ail-sefydlu sianeli Gras a Chariad.

Yn ei lythyr diweddar, *Veritatis Splendor*, fe gyhoeddodd y Pab Ioan Paul II yn groyw unwaith eto fod yna ddaioni a drygioni; fod llofruddiaeth, cenedl-laddiad, arteithio, caethwasiaeth a phob ymelwa ar bobl eraill yn ddrygau, yn bechodau yn erbyn cariad, tra mae diniweidrwydd a charedigrwydd a sancteiddrwydd yn rhinweddau amhrisiadwy. Mae byw'n foesol yn rhywbeth sy'n magu dynion a merched cyflawn am ei fod yn golygu byw yn gyson â'r natur a luniwyd i ni gan ein crëwr. Fel y dywedodd Sant Irenaeus, 'Gorfoledd Duw ydy creadur dynol yn byw ei fywyd hyd yr eithaf,' oherwydd mai Duw a greodd bob bod dynol, a hynny ar ei lun a'i ddelw ei Hun.

Dyna'r delfryd a'r nod ar gyfer pob Cristion, ac mae'n rhywbeth y gellir ei gyrraedd gyda Gras. Y mae cyfraith Duw, cyfraith cariad, wedi ei hysgrifennu ar bob calon ddynol; mae natur ein crëwr yn drwch drwy'n natur ddynol ni, er i hynny gael ei orchuddio gan brofiadau annhymig a chwantau myfïol yn rhy aml. Ond, fel mae'r ddogfen Babaidd yn cydnabod, gan fod llwybr bywyd yn arw ac anodd a dryslyd, mae angen bugeiliaid i ddangos y ffordd inni a'n tywys ar hyd-ddi, a dod â ni ynghyd pan fyddwn ni wedi crwydro, a'n cymodi â'n gilydd. Fel y dywed y Pab yn y ddogfen yna, 'Ni all yr Eglwys fyth wadu'r egwyddor o wirionedd a chysonder, sy'n ein hatal rhag galw daioni yn ddrygioni a drygioni'n ddaioni,' ond rhaid iddi hefyd sicrhau na fydd hi'n 'dryllio corsen ysig, nac yn diffodd llin yn mygu.'

Ond, trwy'r cwbl, mae'n bwysig cadw llygaid ar y delfryd.

9 Awdurdod a Rhyddid

Mae yna ddyhead dwfn ynom ni, Gristnogion, i gael dod rywsut yn uniongyrchol at Dduw ym mherson dwyfol-ddynol Iesu Grist: am gael 'syllu ar ei Berson, fel y mae fe'n ddyn a Duw'. Ac eto, mae'r rhan fwyaf ohonom ni'n cyfrannu o'r arswyd a deimlodd Calfin ynghylch hynny.

Rhan o'r peth, mi dybiaf i, ydy'r awydd i fod fel plant ar fynwes glyd mam; i fod yn glyd yng nghôl cariad Duw, yn blant yn nheyrnas nefoedd, heb orfod ymdrafferthu ac ymboeni o hyd rhag ofn colli'r ffordd. Ond er gwell neu er gwaeth, er bod Duw am inni farw i'r hunan, am inni ladd pob myfïaeth er mwyn ei ddilyn Ef, eto mae wedi gwrthod ymyrryd yn derfynol a llwyr â'n hewyllys rydd ni. Pan grëwyd ein cyndad a'n cynfam gyntaf oll, yn goron ar Esblygiad, fe roddodd Duw y rhyddid iddyn nhw i'w wrthod neu i'w ddilyn. O'r herwydd, roedd y Cwymp yn gallu digwydd, a rhaid oedd chwilio am waredigaeth o gaethiwed pechod.

Yn dilyn hynny, er bod llaw dyner Rhagluniaeth am dywys yr Hen Genedl o'i chaethiwed a'i hannog drwy'r proffwydi i bledio'r Achos Mawr, nid oedd dim gorfodaeth ddwyfol i'w ganfod. A phan ddaeth canolbwynt amser, pan oedd Duw ei hun am ymgnawdoli er mwyn cyfannu'r crac yn ei gread, mynnodd ofyn cydsyniad cynrychiolydd o'r ddynoliaeth, wrth anfon ei latai at Fair i geisio'i chaniatâd. Dyna fraint ei gwrteisi tuag atom.

Rhyfeddol arswydus ydy fod 'rhoddwr bod, cynhaliwr helaeth a rhoddwr popeth sydd' yn awdurdod llwyr ar ein bywydau a'n tynged dragwyddol, eto'n mynnu rhoi i ni'r fraint anhygoel o gael cefnu ar ei ddymuniad erom. Mae'n wir mai dewis diystyr, creulon ydy hynny, ond 'heb ddewis, heb haeddiant'.

Mae hyn yn f'arwain i, fel Pabydd, i feiddio sôn am rywbeth sy'n ymddangos yn wendid mewn Anghydffurfiaeth. Yr hyn y dyfalaf fy mod yn ei amgyffred ydy'r rhagdybiad gweddol gyffredin, anymwybodol i raddau, nad oes ond eisiau i ddyn glywed yr Efengyl a'i chredu iddo fedru o hynny allan ymddwyn yn gyson â hi. Neu, ar y llaw arall, ei bod hi'n hawdd i ddyn cyfiawn gredu. Onid oes raid wrth ras i'r deall yn ogystal ag i'r ewyllys er mwyn goleuo'r ewyllys a'i nerthu â gras os ydy'r person i roi ei ffydd yn Nuw? Nid pwyso'n llipa ar Iesu ydy bywyd ffydd, does bosib, ond mynnu dod i wybod amdano a'i adnabod, ac ymdebygu iddo trwy oes gyfan o ymdrechu.

Ond mae'r hen Babyddion yna, ac ambell un arall, yn dal i gredu yn y Diafol, wrth gwrs; yr hen Satan druan, sy'n mynnu gwrthweithio gras drwy ddichell a thwyll, drwy ymddangos fel oen, mewn gwisgoedd esgobol a phabaidd ar adegau, ac yn wir, mewn coler Genefa ambell waith, hyd yn oed drwy ddyfynnu o'r Ysgrythur Lân! Ac er ein holl ewyllysio a'n hymdrechu i adnabod person Crist a gwybod ei ewyllys inni, mae hi'n ofnadwy o galed i'r mwyafrif ohonom ni wneud hynny. Nid rhywbeth y gellir ei brynu dros gownter archfarchnad ydy'r gras i fedru gwneud hynny wedi'r cwbl. Rhaid gweithio'n galed i fedru derbyn y gras y mae Duw'n ei gynnig inni: gweddïo dygn, myfyrio ac astudio er mwyn goleuo'r deall, ymprydio neu barchu dirwest er mwyn ymarfer â disgyblu'r ewyllys, a diolch drachefn a chanmil diolch am bob mymryn o'r gras a ddaw i'n rhan drwy addoliad. Er mwyn hyn, rhaid inni wrth weddïau'n gilydd hefyd.

Fe drefnodd Duw foddion gras ar gyfer pob cyflwr dynol yn ei sagrafennau, ac ym mhrif Babell y Cyfarfod, yng ngwasanaeth y Cymun Bendigaid, yr Offeren i ni. Trefnodd gyflawnder gras ym mhriodas Duw â phridd y ddaear. Er bod gweddi bersonol, gyfrin, yn holl bwysig, wrth gwrs, geiriau cyntaf y weddi fawr a ddysgodd Crist inni ydy 'Ein Tad', sy'n awgrymu y dylem ystyried ein hunain fel aelodau o deulu Duw yn hytrach na llu o unigolion, yn aelodau o'i Gorff Cyfriniol Ef. O fod yn deulu, rhaid wrth gartref a swyddfeydd. Dyna pam fod angen adeiladau ar gyfer cyd-gyfarfod i gyd-weddïo a chyd-addoli, yn eglwysi a chapeli; dyna pam fod yn rhaid wrth lyfrau a recordiau, Ysgrythurau, Llyfrau Gweddi ac Emynau, a ffurf-weddïau y gellir eu cyd-adrodd a'u cyd-actio, sef Litwrgi.

Yn gefn i hyn wedyn, rhaid wrth athrofeydd a cholegau er mwyn darparu a datblygu ac astudio gwaddol datguddiad y ffydd a draddodwyd inni oddi wrth Dduw yn yr Hen Destament, ym mywyd Crist ar y ddaear yma, a'r Testament Newydd a ddeilliodd o hynny, a'r holl ysgrifeniadau a chofnodion o feddyliau pobl oleuedig yn y ffydd drwy'r canrifoedd ers amser Crist. Mae'r cyfan yn dystiolaeth i oleuni ac arweiniad yr Ysbryd Glân, wedi ei hidlo drwy allu ac ewyllys ffaeledig creaduriaid dynol.

Mae hyn oll yn golygu creu sefydliad a sefydliadau canolog ym mhob ardal a fydd yn uno a chofleidio holl Gristnogion y byd yma, a'u cysylltu â'r rhai sydd eisoes 'fry yn y nef'.

Go brin y gellir cael unrhyw sefydliad heb ryw undod natur a phwrpas yn perthyn iddo. Golyga hynny ganoli'r awdurdod yn ogystal â'i ddatganoli, gyda rhwydwaith i gadw'r undod yn ychwanegol at amrywiaeth traddodiad a ffurf sy'n anochel ar gyfer adlewyrchu amrywiaeth diwylliannau dyn. Dylai hyn oll ddigwydd mewn ffordd nad yw'n mygu barn a hawl yr unigolyn i gredu fel y myn, ac ymateb i'w adnabyddiaeth o'r Duwdod.

Ar un llaw, mae'n rhaid wrth lwyr ryddid cydwybod, ynghyd â phwyslais ar oleuo a chryfhau hynny drwy weddi a myfyrdod ac addysg. Ar y llaw arall, byddai'n anodd i mi dderbyn na bu i Dduw sicrhau fod yr Ysbryd Glân yn cynnig yr un faint o arweiniad i ni heddiw fel ym mhob oes, drwy ddrysffyrdd deallwriaeth o natur a phwrpas y bywyd a oedd ar gael i bobl yng nghyfnod Crist ar y ddaear.

Os perygl yr Eglwys Babyddol ydy troi'n sefydliad haearnaidd, yna perygl Anghydffurfiaeth ydy ymneilltuo'n gynulleidfaoedd bach wedi eu gwahanu oddi wrth y gymdeithas Gristnogol fawr fyd-eang, oesoesol. Ond mae yna fan cyfarfod, gobeithio. Mae'n rhaid bod, os ewyllys yr Arglwydd yw inni fod 'oll yn un' i sylweddoli cymdeithas o'r fath. Y cwbl y beiddiaf i ei awgrymu ydy'r modd y mae'r Eglwys Babyddol wedi dechrau symud tuag at y ddelfryd yna: sef Eglwys Gatholig fyd-eang a lleol, yn perthyn i bob gradd o ddynoliaeth a phob diwylliant, yn arddel ac addoli Crist yng nghwmni'r holl saint ers dechrau'r byd: yr hyn a ddelweddir fel Corff Crist.

A'r Eglwys Gatholig honno y tybiais imi ymuno â hi yn 1958. Ers hynny, rydw i wedi dysgu llawer mwy am weddau cyfeiliornus neu amherthnasol yr Eglwys Babyddol o'u cymharu â'r ddelfryd, ac wedi dinoethi llawer cen ar ei muriau. Ond o fewn y sefydliad llygredig a meidrol yma pan fo ar ei gyflawnaf, daliaf fy mod yn canfod cysgod o'r Eglwys ddelfrydol, yn enwedig yn y bywyd sagrafennaidd. Yr un pryd, mi welaf i yn y cyrff crefyddol eraill, yn enwedig y rhai Cristnogol, bethau a fedrai gyflenwi rhai o'r diffygion a ganfyddaf yn yr Eglwys Babyddol.

O fewn rhyw bum mlynedd wedi i mi droi'n Babydd, aeth Ail Gyngor y Fatican ati i geisio elwa ar draddodiadau a dirnadaethau arbennig y Diwygiad Protestannaidd. Cafwyd pwyslais eto ar yr Ysgrythur, ar ddefnyddio'r iaith frodorol mewn gwasanaethau, a hefyd ar ryddid y gwyddorau seciwlar ynghyd â pharch at y seciwlar yn gyffredinol. Rhoddwyd mwy o ran i'r lleygwyr, yn enwedig mewn meysydd lle'r oedd gan wŷr a gwragedd lleyg lawer mwy o wybodaeth a phrofiad o bethau na'r clerigwyr a'r lleianod. Ond yn bwysicach na dim, i'm tyb i, cyhoeddwyd y datganiad ar ryddid cydwybod a'r hyn oedd yn mynd gyda hynny, sef bod iachawdwriaeth dynion i'w chael y tu allan i'r Eglwys Babyddol, a thu allan, yn wir, i bob sefydliad crefyddol. Lle'r oedd unigolyn wedi mynd ati i geisio goleuo'i ddeall ac unioni ei ewyllys yn ôl hynny, yna roedd yn gweithredu'n gyfiawn.

Yn sgil hynny y tyfodd eciwmeniaeth a chafwyd y datganiad holl bwysig, ond och! mor hwyrfrydig, nad yr Iddewon oedd yn gyfrifol am ladd Iesu.

Gwaetha'r modd, collwyd rhai o'r elfennau cynyddol wedyn, wrth i'r pabau ar ôl Ioan XXIII ofni gweld yr Eglwys yn chwalu'n garfanau, ac i Ioan Paul II ganolbwyntio ar grwsâd a chwalodd geyrydd Comiwnyddiaeth ormesol Dwyrain Ewrop. Er i Paul VI benodi lleygwyr dysgedig yn y maes i'w gomisiwn ar Atal Cenhedlu, ni dderbyniodd ef yr adroddiad mwyafrifol. Ac er bod y Pab i fod i weithredu fel *Primes inter Pares* bellach, y cyntaf yng nghwmni ei gyd-esgobion, tueddodd Ioan Paul II (neu ei gabinet yn y Curia yn y Fatican) i ganoli grym eto, ac anwybyddu barn yr eglwys leol wrth benodi esgobion.

Ar y llaw arall, nid sefydliad democrataidd ydy'r Eglwys Gristnogol yn ei hanfod. Iesu Grist ei hun ydy ei phen, ac er na fyn fod yn deyrn, i'r graddau y mae'n bresennol ynddi a'i Ysbryd yn ei llywio, mae'n rhaid iddi fod yn ddi-ffael, yn anffaeledig. Fel y gwyddom ni oll, bu'r Babaeth yn offeryn dieflig o wrth-ddynol ar gyfnodau yn ei hanes, ond y mae yna ochr ddwyfol, lân iddi hefyd. Mae hi'n honni bod yn brif geidwad y gwaddol o ddatguddiad a draddodwyd inni ers dyddiau'r Apostolion, ac yn ddehonglydd a beirniad unrhyw ddatguddiad newydd a gynigir inni ym mhob oes. Y broblem ydy sicrhau fod yna le, o leiaf, i'r ochr ddwyfol yna i'r Eglwys yn y sefydliad dynol, ac mae hynny'n haws pan fo llywodraeth yr Eglwys yn agored mewn Cyngor a Synod byd-eang a lleol, a'r eglwys yn wynebu'r wasg ryngwladol a lleol yn gyson. Mor bell ydy'r Eglwys Babyddol o'r nod yna o hyd.

Ond tybed a oes gan yr Eglwys Babyddol ffaeledig yna rywbeth i'w gynnig i Anghydffurfiaeth Gymraeg? A oes gwerth mewn cyfundrefn fyd-eang sy'n rhwym o fod â chyfran helaeth o fiwrocratiaeth yn perthyn iddi? Mae gan y rhan fwyaf o enwadau Cymru drefniant sy'n mynd ymhellach na'r gynulleidfa leol, wedi'r cwbl. Mae'r mwyafrif yn perthyn i gorff cenedlaethol a rhwydwaith ryngwladol yn ogystal ag i CYTUN.

Mae'r Eglwys Babyddol yn mynd ymhellach o lawer, yn honni ei bod yn gallu casglu barn a phrofiad a gwybodaeth a dirnad-aethau Cristnogion o amryfal ddoniau a dysg a thraddodiadau a graddau o sancteiddrwydd, o bob cwr o'r ddaear ac o bob oes, er mwyn llunio a datgan barn a chred. A hynny dan arweiniad yr Ysbryd Glân yn gyffredinol, ac ar adegau prin iawn yn anffael-edig felly. Hyd yn oed petaen nhw heb unrhyw warant o fod dan nawdd unrhyw Ysbryd Glân, byddai datganiadau'r Eglwys Babyddol ar faterion tragwyddol a thymhorol, fel arfer, yn haeddu sylw a pharch ar sail yr holl ymgynghori a gaed fel sail iddyn nhw. Y warant bellach sy'n faen tramgwydd, y syniad fod Duw, er gwaetha'r ffaeleddau dynol yn yr Eglwys, wedi rhoi ei air na orchfygai pyrth uffern fyth mo'r Eglwys. Yn wir, i lawer credadun Pabyddol, mae'r ffaith iddi oroesi a llwyddo i gynnal y ffydd a hybu daioni drwy'r oesau, er gwaethaf y llygredigaeth ddynol ynddi, yn brawf fod yr Ysbryd Glân yn mynnu trigo ynddi.

Ond mae gwynt nerthol yr Ysbryd yn chwythu lle y myn, a does dim dwywaith na fu pobl o draddodiadau eraill a rhai heb draddodiad o gwbl yn offerynnau ar gyfer dal ymlaen â datguddiad parhaus Duw ohono'i hun. Does ond eisiau crybwyll Ann Griffiths yn ein gwlad ni. Dyna pam yr oedd hi mor bwysig i ni, Babyddion, gydnabod o'r diwedd oruchafiaeth cydwybod, a bod ffiniau'r Eglwys, Pobl Duw, fel Corff Cyfriniol Crist, yn llawer lletach na rhai yr Eglwys Babyddol.

(Anerchiad i Gwrdd Chwarter yr Annibynwyr ym Morgannwg)

10 'Ac nac arwain ni i brofedigaeth'

Os gelwir arnat i ddiodde yn y byd yma, paid â chwyno, achos mi wneiff hynny i ti feddwl am fyd nad oes diodde ynddo. Paid â gneyd (*sic*) dy gartre yn y byd, neu mi fydd marw yn fwy o *job* i ti nag wyt ti'n meddwl. Profa bob peth wrth air Duw, ac yn enwedig dy hunan.

Dyna'r esgus o lenor ynof yn mynnu dyfynnu eto un o greadigaethau rhyfeddaf ein llenyddiaeth, sef Mari Lewis. A'r esgus o feddyg ynof, yn ei dro, am ddyfynnu un o feddygon enwocaf hanes, a oedd hefyd yn artist, sef Sant Luc. Yn Llyfr yr Actau mae'n sôn nad 'oedd gan neb o'r Atheniaid, na'r dieithriaid oedd ar ymweliad â'r lle, hamdden i ddim arall ond i adrodd neu glywed y peth diweddaraf'. Ac fel yn oes Mari Lewis, mae'r rheidrwydd sydd ar ddyn i farw ac i ddioddef yn destun trafodaeth feunyddiol. Go brin fod yr un Atheniad, hyd yn oed Plato wrth drafod marwolaeth Socrates, wedi bod ddim doethach na Mari Lewis yn ei hymateb hithau i'r dirgeledd, neu, yn ein hieithwedd ni, y broblem. Nid bodloni ar ymateb a wneir gyda phroblem, ond chwilio dyfal am ateb i'w dirgelion.

Fe gynigiwyd atebion dros y canrifoedd, o Job i'r Stoiciaid, o'r hedonistiaid i'r nihilistiaid, o Waldo i J. R. Jones. Mae llawer o'r trafodaethau a'r myfyrdodau'n rhai llachar a gwerthfawr, ond yn rhy aml gwelwyd atebion o'r fath yn ymddatod yn gareiau ym mhrofiad rhywun arall pan oedd hwnnw neu honno yng ngŵydd dirfodol cystudd a phoen.

O astudio'r broblem fel problem, mae perygl inni ein lleoli'n hunain y tu allan iddi. Onid yr hyn y dylem geisio'i wneud yn achos unrhyw ddirgeledd ydy ceisio'i brofi, ei adnabod? Sefyll yn ei ŵydd gyda channwyll ffydd, a cheisio gweld y tu draw i'r hyn a welir gyda llygad rheswm yn unig, ceisio adnabod y gwirionedd ynghudd ynddo yn hytrach na cheisio gwybod popeth amdano. Yn wir, dagrau pethau ydy nad oes gennym ni ddewis ond wynebu'r dirgeledd chwerw mai nod amgen dyn, megis blodau a phlanhigion go iawn, ydy bod yn rhaid inni ddioddef cael ein tocio, a gwywo a marw yn y diwedd. Un ymateb i hynny ydy eiddo'r Meistri Beckett a Ionesco, sef gweld yr hen hwrdy o ddaear yma'n theatr hurt.

Nid sôn am ddioddef yn yr ystyr arferol yn unig yr ydw i chwaith. Syniad hunllefus y rhan fwyaf ohonom ni am ddioddefaint ydy poen gorfforol ddirdynnol; y boen a ddaw o ddamwain erchyll efallai, neu boen ingol *angina*, ac yn fwy fyth, poen gystuddiol ambell fath o ganser. Yn wir, yn ôl pob arolwg barn ar y pwnc y gwn i amdano, mae'r rhan fwyaf o bobl yn eu hoed a'u pwyll fwy o ofn dioddefaint o'r fath nag o farwolaeth ei hun. Ond y mae'n sicr, yr un pryd, mai rhai o'r poenau mwyaf ingol ydy rhai'r meddwl.

Mae gen i barch at agwedd Mari Lewis tuag at ba ddioddefaint bynnag y gelwir arnom ni, gan hap a damwain ein bywyd, i'w wynebu a'i dderbyn. Ond mae gormod o bobl wedi gor-wneud yr angen, onid y ddyletswydd, sydd ar Gristion i ddioddef. (Yn wir, mae gormod o bwysleisio hynny yn agwedd llawer o bobl stoicaidd a di-grefydd.) Sôn o hyd am farw'n arwrol pan fo'r creadur, druan, sy'n dioddef heb unrhyw ddewis arall, a dweud bod y sialens, y boen a'r cystudd wedi ei anfon oddi wrth Dduw, yn ein hachos ni, fel ffordd ymwared i'r truan sâl oddi wrth ei bechod!

Does dim dwywaith yn fy meddwl i nad peth hyll, ffiaidd, pechadurus ydy poen, peth annuwiol, annynol, aflan—ond nid y dioddefwr, wrth gwrs. A does dim enghraifft o boen sy'n fwy felly na'r hyn ddigwyddodd i Iesu Grist o flaen Herod a Pilat a'r archoffeiriaid, ac ar Galfaria. Ac eto dywedir weithiau ei bod hi'n 'olau wrth y groes'. Iawn i John Elias ofyn 'Ai am fy meiau i/Dioddefodd Iesu Mawr?' Dydy o ddim yn smalio mai peth hardd oedd hwnnw, er iddo, trwy lygad ffydd, weld mai fel yna roedd yr Arglwydd yn gorchfygu 'Uffern ddu', a gwneud 'pen y sarff yn friw'. Ond onid oes pergyl parhaus inni ŵyro, naill ai at forbidrwydd afiach yn ein hymdriniaeth o ddigwyddiadau'r Groglith a'r Pasg, neu at sentimentaleiddiwch ffwrdd-â-hi?

Y ffaith wrthrychol ydy i fywyd Iesu o Nasareth fod yn fethiant affwysol, trychinebus yn nhermau'r hen fyd yma. Mae'r 'Duwddyn, yr ail Adda, ein prototeip ni o'r dyn newydd', yn cael ei gyflwyno inni 'Dan chwip a than ddrain,/A'i hoelio'n sach o esgyrn tu allan i'r dref,/Ar bolyn fel bwgan brain.'

Roedd ei farwolaeth a'r holl sôn am yr Atgyfodiad a'r Dyrchafael a'r anfoniad o'r Ysbryd i'r Iddewon yn gabledd, ac i'r cenhedloedd yn wallgofrwydd. A rhyw wallgofrwydd sentimental neu hurt ydy o i'r mwyafrif o'n cydwladwyr heddiw, sydd erbyn hyn heb unrhyw freuddwyd ddwyfol nac ymwybyddiaeth o ddwyfoldeb, pa mor frau bynnag. Pobl sy'n coelio'n gydwybodol ac yn hollol resymol nad 'erys ond tawelwch i'r calonnau/Fu gynt yn llawenychu a thristáu'.

Ac y mae dynion, gwaetha'r modd, yn gorfod tristáu, on'd ydyn nhw? Nid o afiechyd, damweiniau geni neu gar, henaint a llesgedd, y daw ein hingoedd i gyd, wrth gwrs; mae natur a sefyllfa dyn, ynddyn nhw'u hunain, yn ddigon o achos gofidiau. Onid Thoreau a ddywedodd, '*The mass of men lead lives of quiet desperation*'? Pwy a aned na chaiff ei ddogn o ofidiau cyn marw, boed y rheini am ei iechyd ei hun neu'i anwyliaid, am ei ddyfodol a'i deulu, am greulondeb dyn at ddyn, am newyn a damweiniau a rhyfeloedd? Mae dynion a merched, yn amlach na pheidio, fel yr ân nhw'n hŷn, yn teimlo'u bod wedi'u cornelu gan afresymoldeb bywyd, hurtrwydd eu sefyllfa gosmig, mewn argyfwng gwacter ystyr neu faglau pechod, yn ystyr fwy traddodiadol y gair. Nid temtasiynau'r hen fyd yma sydd waethaf, ond, fel y nodir yn ein fersiwn ni o Weddi'r Arglwydd, y profedigaethau a ddaw ar ein ffydd.

Pan dry pobl ddi-grefydd mewn argyfwng o boen, gofid, trallod, neu mewn unrhyw fan yn hyn o ddyffryn dagrau, tuag at Gristnogaeth, beth maen nhw'n ei weld? Pa wedd ar Dduw yn Iesu a ddatgelir iddyn nhw gan Gristnogion fel arfer? Ai'r Crist a arddangoswyd i'r dorf gan Pilat: *Ecce Homo* dan waed a drain a gwrymiau'r fflangell, yn destun gwawd a gwaradwydd? A ydym ni'n ddigon gonest a dewr i gyflwyno'r Crist yna i'r dioddefwr pryderus?

Meddyliwch o ddifrif am rywun, fel cyfaill i mi, oedd yn wynebu angau, ac wedi cefnu ar grefydd ers ei fachgendod; yno'n gorwedd dan ofal diwyd yr angylion hynny o ferched a bechgyn ifanc sydd mor dyner wrth drin aelodau a gofidiau, bagiau a thyllau a thiwbiau, carthion a chyfog a chwŷs, ingoedd a hunllefau, gwayw a gewyr. Neu ystyriwch berson anabl, an-ffurfiedig, yn hollol ddibynnol ar eraill, heb erioed gael y cyfle i wneud cyfraniad i fywyd yn yr ystyr arferol, na chyflawni'r hunan, fel yr oedd fy nghyfaill ar ei wely cystudd wedi'i wneud. Beth a ddywedwn ni wrth bobl fel yna am ystyr neu arwyddocâd dioddefaint? Ai dweud a wnawn ni, fel y dyn cyfiawn hwnnw, Job, nad oes ateb, fod ffyrdd yr Anfeidrol Dduw yn anchwiliadwy, er inni orfod ymddiried ynddo? Neu a ddywedwn ni mai ffrwyth ein pechod ni, o'r Cwymp gwreiddiol ymlaen, ydy dioddefaint i'r Cristion? Y mae Llyfr Genesis yn awgrymu mai dioddefaint ydy ochr arall y geiniog a roes inni'n hewyllys rydd; y rhyddid i garu Duw neu garu'r hunan. Ond does yna ddim ateb a fedr esbonio'n ddigonol i ddioddefwr pam mae Duw Cariad yn goddef y fath aflendid a phoen yn nhrefn ei Arfaeth.

A beth am y Testament Newydd, testament cariad Duw? Mae ynddo, fel y gwyddom ni, fwy o sôn am ymostwng i ewyllys y Tad, mewn ffydd, gobaith a chariad; mwy o sôn am dderbyn trefn y credwn ni, (neu fe ddylem gredu) y bydd Duw yn ein defnyddio er mwyn ein hachub ni, a'n dwyn, fel y dywedai Mari Lewis, 'i fyd nad oes diodde ynddo'. Ond pan ofynnwyd i Iesu pam oedd raid inni ddioddef, fe'n hatebodd trwy ofyn cwestiwn arall: sut yr ydym ni'n dioddef? Er hynny, doedd Crist ddim yn croesawu'i groes bid siŵr. 'Aed y cwpan hwn heibio' oedd hi, er iddo, fel Socrates, ei ddrachtio hyd at y gwaddol chwerwaf pan fu raid.

Dyna ydy ymateb dynol normal, does bosib. Mae'n holl sôn ni am Achub, Prynu, gwneud iawn, talu'r Pridwerth neu'r Gosb, yn beth peryglus iawn. Roedd ar Grist, y dyn ynddo o leiaf, arswyd rhag poen gorfforol, rhag gweld bywyd yn cael ei ddryllio, rhag gweld person yn cael ei ddiraddio nes darostwng ei einioes i fod yn ymddangosiadol bitw. Pan fu raid iddo wynebu'r grymusterau a achosai hynny, roedd ei holl natur ddynol yn gweiddi ar ei natur ddwyfol: 'Fy Nuw, fy Nuw, pam yr wyt wedi fy ngadael?' Er iddo ddirnad, yn ddiau, ac efallai'n raddol, fod yn rhaid i'r gronyn gwenith farw er mwyn cael y cynhaeaf, Duw yn unig a ŵyr, er hynny, pam mai felly y mae'n rhaid i bethau fod.

Ymateb llawer o ddisgyblion cyntaf Iesu i'r hanes hynod, od, ffiaidd am y croeshoelio, a'i le yn nhrefn yr Arfaeth, fel y gwyddom ni, oedd chwilio am ystyr iddo yn nhermau eu diwylliant nhw. Aed i sôn am Aberth, am y pris oedd raid ei dalu, am ryddhau carcharorion. (Does neb yn sicr a ddefnyddiodd Crist ei hun yr ymadroddion hyn, wrth gwrs.) Geiriau dynol, meidrol ydyn nhw, i geisio disgrifio gweithred anhraethol ddwyfol, ac mae perygl inni eu camddefnyddio'n ddirfawr.

Mae sôn am aberth ac am iawn yn hen arfer, rwy'n gwybod, ond peidiwn ni sy'n arddel yr enw Cristnogion â darlunio'n duw fel un gwaedlyd, yn un am waed ei greaduriaid, fel duwiau'r Asteciaid gynt. Ar y llaw arall, mae sôn am ryddhau carcharorion yn gymhariaeth sy'n tycio, ond inni beidio â sôn gormod am dâl.

A phwy oedd yn mynnu hynny? Ai i'r Tad neu i'r Diafol y telid unrhyw bridwerth? Beth am y syniad o dalu'r ddirwy drosom wedyn? Onid oes perygl yn yr holl sôn am brynedigaeth inni awgrymu mai rhyw deyrn bach balch ydy'n duw ni? Un y byddai'n anodd iawn ei alw'n Dad—neu fel y dylem ni gyfieithu Abba, fel Tada neu Dadi. Pa dad a fynnai'r fath ad-daliad erchyll, yn rhyw fath ar iawndal gan ei Fab diniwed ei hun?

Na, gwell gen i beidio ag athronyddu nac athrawiaethu gormod am Ddioddefaint y Groes. Ymdrechu'n hytrach, rhywfodd, i ddynesu, i glosio at y groes, at y digwyddiad hanesyddol, a'r Person rhyfeddol hwnnw a oedd arni, ar y groesffordd i'r ddynoliaeth a'r groesfan rhwng dyn â Duw. Gwell gen i siarad fel yna hyd yn oed nag ieithwedd aruchel Ann Griffiths wrth iddi sôn am 'yr Iawn fu rhwng y lladron . . . yn talu dyled pentewynion ac anrhydeddu deddf ei Dad'. Gwell gen i sôn am yr hyn oedd yn digwydd ym mherthynas y Tad a'r Mab, y weithred y gofynnwyd i'r Mab (ac nid y Tad) ei chyflawni ar Golgotha. Fel y dywed Paul:

> . . . dewisais beidio â gwybod dim yn eich plith ond Iesu Grist, ac yntau wedi ei groeshoelio. Mewn gwendid ac ofn a chryndod mawr y bûm i yn eich plith; a'm hymadrodd i a'm pregeth, nid geiriau deniadol doethineb oeddent, ond eglur brawf yr Ysbryd a'i nerth, er mwyn i'ch ffydd fod yn seiliedig, nid ar ddoethineb dynion, ond ar allu Duw.

Os nad oedd gallu Duw yn yr Iesu hwnnw a fu ar y groes, onid ofer, gwallgof, hurt a ffiaidd pob sôn am ffydd, am ystyr i fywyd a gobaith am un tragwyddol? Yn fwy fyth felly, afraid ac aflan fyddai cysylltu'r gair Cariad â'r fath ddigwyddiadau cigyddol a sadistig. Ond—OND, os oedd Duw yng Nghrist, yna mae pethau'n wahanol, on'd ydyn nhw? Wedyn, gellid hawlio fod yna ddrama fawr wedi digwydd ar Galfaria fryn, ac er mai trychineb a thrasiedi oedd hi'n allanol, mae hi'n diweddu'n fuddugol-iaethus. Drama gosmig oedd hi rhwng pwerau'r Fall a Theyrnas Nefoedd, ac i luoedd y Tywyllwch y perthyn yr arfau a ddefnydd-iwyd i arteithio Crist, ac sy'n dal i boenydio dynion.

Mae'n amlwg, hefyd, fod Duw Dad am i'w fab ymostwng a'i ddarostwng ei hun i fod yn ufudd hyd angau, ie, angau'r Groes. Ond nid Ef oedd y poenydiwr na'r dienyddiwr. Mae'r elfen o fod yn ufuddhau i Dduw, fel yr oedd Abraham yn fodlon gwneud, yn elfen gyson yng ngwaredigaeth y ddynoliaeth, fel yr oedd anufuddhau yn achos ein colled erchyll yn Eden drist. Ond dydy hi ddim yn amlwg, i mi o leiaf, pam fod yn rhaid i ufudd-dod Crist ymestyn hyd at holl erchyllltra'i Basiwn a'i Grog.

Unig eiriau Iesu Grist ei hun ar y pwnc ydy'r rheini am roi ei einioes er mwyn ei derbyn eilwaith, ac nad 'oes gan neb gariad mwy na hyn, sef bod dyn yn rhoi ei einioes dros ei gyfeillion'. Dydy Crist ddim yn esbonio pam mai bod yn fodlon marw dros eraill ydy'r dystiolaeth uchaf o gariad tuag atyn nhw, ond mae'n bosib mai byrdwn ei neges ydy bod rhaid bodloni i wynebu'r gelyn eithaf sydd gan ddyn, sef poen a gwaradwydd ac unigrwydd marwolaeth, fel y gwnaeth Crist. Dyna fesur cariad Duw tuag atom ni. I'w ddilyn o, ac i'n dwyfoli'n hunain, fel y dywed Uniongredinwyr y Dwyrain, rhaid i ninnau fod yn fodlon wynebu dioddefaint ac angau. Does gennym ni mo'r dewis yn wir, hyd yn oed mewn termau bydol.

Y sialens ydy eu hwynebu nhw mewn ufudd-dod a ffydd fel plentyn, ond gyda'r sicrwydd na fyddwn ni ar ein pennau'n hunain; fod y Tad yn yr achos hwn yn un na all fyth, fyth ein siomi, na wna fyth, fyth ein gadael.

Dyma'r ffordd ymwared o'n pechod gwreiddiol a pharhaus o gredu y medr unrhyw un, unrhyw fod dynol arall, fyth gyflenwi'n hanghenion. 'Fy Nhad, i'th ddwylo di yr wyf yn cyflwyno fy ysbryd', a ddylem ninnau ddweud petai gennym ni ddigon o gariad ynom.

Ond beth sydd a wnelo hyn o druth â gofalu am y cyfaill yna ar ei wely angau, neu'r trueiniaid hynny y soniais i amdanyn nhw na chawsant erioed fywyd normal, iach, cysurus? Wel, o'm profiad i, mae digon o help ac o gysur i'w gael mewn ysbyty i'r claf, os nad i'w deulu bob amser. Cysur o du'r nyrsys yn arbennig, ac i raddau llai y meddygon, ac o du'r caplaniaid. Erbyn hyn mae digon o dechnegau ac o gyffuriau ar gael i leddfu, onid llethu pob poen corfforol, a rhai meddyliol hefyd fel arfer. A phrin, diolch am hynny, ydy'r rheini a fyddai'n gwarafun yr hawl i glaf gael ei gysuro a lliniaru'i boen. Ar y cyfan, caledu calon dyn wna poen cyson, creulon, fel y gwna carchar. Ond mae yna ddioddefaint eneidiol yn aros o hyd, pe na bai ond y ffaith fod yn rhaid wynebu difodiant angau, a chanu'n iach i'r anwyliaid. Hyd y gwelaf i, y bobl sy'n dioddef fwyaf oddi wrth afiechyd ac anhwylderau'r claf ydy ei anwyliaid. Mae eu gwewyr nhw'n anesgor yn rhy aml, a llai o bobl yn cynnig rhannu'u baich nhw.

Mae'r claf yn cael ei gysuro, a'r staff yn medru lliniaru pob briw ond absenoldeb câr a chyfathrach. Ond yr ing mwyaf sy'n dod i ran dioddefwyr, neu fod ofn hynny arno, ydy unigrwydd. Os mai pobl eraill ydy Uffern i gymeriadau Jean-Paul Sartre, mi goeliaf i'n wahanol: mai unigrwydd ydy Uffern pob un ohonom ni, yma a thu draw i'r bedd. Dyna'r Uffern y disgynnodd Crist iddi oddi ar ei groes.

Ond pan fo'r anwyliaid yno, a phan fo Crist gyda ni yn ein gwewyr angau neu yn ein cystudd cyson fel yr hir-glaf, mae'r baich yn haws ei gario. Y mae dynion a merched yn medru rhannu beichiau'i gilydd, fel y gwnaeth Simon o Gyrene rannu'r baich dwyfol. Pa wraig neu ŵr rhywun sâl nad ydy'n colli cwsg, yn colli dagrau, yn colli ffydd, yn cyd-gyfrannu o ing y claf? Yn aml gall y claf ei hun gysuro'i deulu unwaith y mae'r nyrsys a'r meddygon wedi lleddfu'i boen, a sicrwydd cariad y teulu a chyfeillion wedi rhoi tawelwch meddwl iddo. Ond, yn y diwedd, mae angen inni i gyd ymostwng a'n darostwng ein hunain i ewyllys Duw, a dweud yr unig weddi briodol i greadur sy'n wynebu tynged anochel pob dyn: 'Nid fy ewyllys i, ond dy ewyllys di a wneler'.

Sefyllfa go wahanol sydd ohoni pan fo person yn ddi-deulu ac efallai'n ddi-gyfaill. Dyna un o'r problemau dyrys sy'n deillio o ymddatodiad teuluoedd a chymdeithas gydag ysgariad rhwydd, —fod pobl yn gorfod dioddef mewn unigrwydd. Mae yna rywun ar gael fel arfer, i ofalu am bob person amddifad: gweinidog neu offeiriad, aelodau'r urddau crefyddol, Samariad ffurfiol ac anffurfiol. Ond ar ddiwedd y gadwyn o gynhaliaeth, yn fy mrhofiad i o leiaf, mae'n rhaid i'r cynheiliaid eu hunain gael ffynhonnell o sicrwydd ac o gariad. A does ond un ffynhonnell felly, sef yr annherfynol stôr o ras a lifodd 'fel afon gref, lifeiriol dros y byd' oddi ar fryn Calfaria.

Yn rhy aml, rydw i wedi gorfod gwylio priod a phlant yn wynebu'r un oedd wedi derbyn y ddedfryd fod marwolaeth gerllaw, a gwylio'r caplan a'r staff meddygol ac eraill yn ymateb hefyd. Fel gyda chleifion mwyaf erchyll eu cyflwr yn yr ysbytai, rhai ag anableddau lluosog, iaith perthynas sydd bwysicaf: yngan enw, cyffyrddiad corfforol, boed gusan neu arosod dwylo.

Rhaid nodi'r perygl o fyfïaeth, o geisio disodli Duw, i'r sawl

70

sy'n llwyddo i ennyn gwên o ddiolch a gwerthfawrogiad cariadus gan rywun mewn dioddefaint. Ac er mwyn cydymdeimlo'n iawn, mae'n rhaid wrth rywbeth heblaw'r gallu i arosod dwylo a dweud gair o gysur; rhaid wrth yr ysbryd o ymostyngiad llwyr i fod yn offeryn i Dduw.

Dydw i, yn bersonol, ddim yn hoff o'r syniad mai cysuro pobl yr ydym ni am mai cysgodion o Grist ydyn nhw. Gwir i'r Arglwydd ddweud, 'Yn gymaint a'i wneuthur ohonoch i un o'r rhai hyn . . . i mi y gwnaethoch'. Eto, onid gofyn inni gyd-ymddwyn â'n gilydd yr oedd Ef am ei fod wedi'n hailddyrchafu ni i fod ond ychydig yn is na'r angylion, a bod pob un ohonom ni a grëwyd ers dechrau'r byd yn greaduriaid unigryw, a grëir yn gyfartal ac yn anfeidrol ganddo Ef?

Dydy cydymdeimlad a geiriau cariadus ddim yn ddigon, wrth gwrs, i liniaru neu leddfu gwewyr ac ing. Mae angen cyffur yn aml er mwyn cysuro claf dioddefus, boed hwnnw'n lliniarydd poen, yn dawelydd neu'n dabled cysgu; gall sgwrs uwchben cwpanaid o de, gwydraid o win neu wisgi fod yn gymorth hefyd. Does dim dwywaith nad oes hawl gan glaf i wrthod y fath gyffur, er mwyn cael meddwl clir ar gyfer gwneud ewyllys, dyweder, neu i dalu dyledion ac ati, yn ogystal â maddau i ddyledwyr. Ond rhaid ystyried faint o boen y mae'r claf, mewn achosion felly, yn ei drosglwyddo i'w anwyliaid. Mae yna eneidiau prin sy'n cael cynnig osgoi angau neu boenydio (neu'r ddau) ond iddyn nhw ostwng glin i bechod: pobl sy'n dewis merthyrdod am fod yn rhaid iddyn nhw, yn ôl eu cydwybod, o Socrates i Boenhoffer, o San Steffan i'r Archesgob Romero. Mae'n wir fod derbyn poen ar gyfer rhyw bwrpas aruchel yn medru puro a dyrchafu, ond achosion prin iawn ydy'r rheini. I'r rhan fwyaf ohonom ni, yn sicr, does yna ddim arwriaeth mewn dioddef er mwyn dioddef.

Mae defnyddio cyffur i ladd poen yn aml yn golygu byrhau einioes, ond os nad hynny ydy bwriad canolog cynnig y cyffur, yna nid oes dim yn anfoesol yn hynny (fel y trafodir yn y bennod 'Ewthanasia, neu *Bona Mors*').

Oes yna, felly, unrhyw ystyr neu werth i ddioddefaint? Duw a ŵyr. Ond mi wn i hyn: i'r graddau yr ydym ni'n anghenus, anabl, anghyflawn, annigonol, anniddig, anghysurus, anhapus, anfodlon, mewn gwewyr, mewn gofid neu mewn carchar,—i'r graddau hynny y medrwn dderbyn a gweini tynerwch a thrugaredd. Mae'r gwagle ynom ni, y crac yn ein cread, drysffyrdd

71

anial ein calonnau a'n meddyliau, yn agored ac yn crefu am ras. Heb bresenoldeb cyson, canolog y claf, y llesg, yr anabl, y galarus a'r rhai cystuddiol, fe'n temtir ni i feddwl, fel y dywedodd Mari Lewis gymaint gwell, mai iechyd, nerth a grym ydy'r prif rinweddau; i feddwl am bechod yn nhermau temtasiwn yn lle profedigaeth. Ac yn ein profedigaethau, does bosib nad oes lle i grefydd swcwr, ond iddo beidio â dirywio'n grefydd siwgwr.

11 'Mi dafla' 'maich oddi ar fy ngwar'

Mewn tair ffordd y clywais i am y seiat. Un oedd clywed Mam wrth sôn amdani yn cael 'maddeuant am ei dyledion', ac roedd hi'n meddwl y byd o'r sefydliad. Mi glywais amdani, hefyd, drwy ddilyn yn ôl un o'm hoff gymeriadau llenyddol, Thomas Bartley, fel yr ymddangosai gyntaf i mi yn *Cymru'r Plant*, ac wedyn wrth ddarllen y nofel, *Rhys Lewis*. Yn holl weithiau ei greawdwr, mae yna ddigon o sôn am seiat a chrefydd, ond fawr am un o hoff bynciau ein dyddiau ni, sef Rhyw. Er bod hwnnw, wrth gwrs, yno dan yr wyneb ym mhrofiad Mari Lewis yn ei pherthynas â'i meibion ac yn arbennig â'u tad esgymun sydd, er hynny, yn llwyddo nid yn unig i ail-gynnau, ond i gynnau tân yn y lle cyntaf ar ei haelwyd Galfinaidd. Hwyrach mai fel un o Bobl yr Ymylon y disgrifiai Idwal Jones dad Bob a Rhys Lewis. Mae'n decach, efallai, imi nodi'r tebygrwydd cryf mai Pabydd o Wyddel, o dras o leiaf, oedd y tad, a'i seiat fuasai'r Gyffesgell. Mae yna bortread llawnach o'i fath o yn nofel Marion Eames, *Hela Cnau*. Y drydedd ffordd y clywais i am y seiat oedd darllen *Drws y Society Profiad*.

I fynd yn ôl at Thomas a Barbara Bartley. Mi fûm yn pendroni beth fyddai'n debygol o ddigwydd iddyn nhw petaen nhw'n fyw heddiw yn eu trallod a'u tlodi a'u trueni. Pobl dlawd o ran cefndir ac addysg, heb fawr o grap ar y llythrenne a dim byd yn gwic ynddyn nhw, *most* y *pity*. Mae'n siŵr y buasen nhw'n cael budd o unrhyw seiat a fyddai ar gael yn eu hardal nhw, er bod y rheini'n mynd yn brin, gwaetha'r modd. A phetai'r anhygoel yn digwydd, a bod Thomas yn crwydro i mewn i gyffesgell Babyddol a chael cyffeswr oedd yn deall Cymraeg ac yn ddyn tyner a doeth, hwyrach y buasai'n llwyddo i daflu'i faich oddi ar ei war yn nirgel dywyllwch y lle rhyfeddol hwnnw hefyd. (Yng nghyfnod Rhys Lewis, roedd yna offeiriad Pabyddol ifanc yn yr ardal, oedd yn deall Cymraeg, sef Gerald Manley Hopkins!) Mi fuasai'n haws ar Barbara; y cwbl a ddisgwylid iddi hi ei ddweud, wrth fynd i mewn ar ôl ei gŵr, fuasai, ''Run fath â Thomas yn union'!

Mae gen i ofn, ar y llaw arall, mai'r peth tebygol fyddai i rywun o'r Adran Gwasanaethau Cymdeithasol gyfeirio'r hen bâr at feddyg prysur, heb fawr o amser ganddo i wrando arnyn nhw a deall eu sefyllfa. Yntau, wedyn, yn eu gyrru ymlaen at seiciatrydd fel achos o 'bobl mewn trueni, wedi'u plethu braidd yn llac, fwy neu lai'n anllythrennog, ac mewn iselder ysbryd ar ôl colli'u hunig blentyn'. Yn ôl un math o seiciatreg, cyffuriau a sgwrs i godi'u hysbryd a gaen nhw. Yn ôl ysgol arall, prin y caen nhw unrhyw gyffur na chysur yn yr ystyr arferol. Yn hytrach, disgwylid iddyn nhw drafod eu cyflwr, ei ddadansoddi a'i adnabod, yn bennaf yn nhermau'r teimladau a fyddai'n corddi ynddyn nhw, yn blith draphlith yn aml. Y nod, yn y diwedd, fyddai eu galluogi i ddirnad eu gwir sefyllfa fel y dywedir, ac o'r herwydd fedru ei hwynebu a'i derbyn. A dyna'r math o seiciatrydda sy'n cyfateb i Gyffes a Seiat.

Beth oedd sefyllfa Thomas a Barbara yn nhermau'r seiciatrydd? Pobl heb fawr o gefn na chefndir i'w helpu i ddirnad eu prudd-glwyf ac ymdopi ag o. Pobl heb fawr i edrych ymlaen ato. Pobl y byddai'n rhaid wrth gynhaliaeth gweithwyr cymdeithasol, a chyffuriau o bosib, i dawelu eu pryder neu i godi'u calonnau. Mewn grŵp seicotherapi mi fuasen nhw'n debyg o fynd yn destun gwawd, a buasai ambell gysyniad, megis bod gwedd rywiol i berthynas pawb a phobun â'i gilydd, yn codi braw arnyn nhw!

Fuasen nhw ddim yn deall hanner beth oedd y seiciatrydd yn ei ddweud wrthyn nhw, mwy nag oedd Thomas yn deall yr athro hwnnw yn y Bala. Ond yng nghwmni Abel Hughes a Mari Lewis byddai'n debygol o glywed rhywbeth gwerth chweil, megis sôn am Achub, Ffydd, Gobaith a Chariad, beth bynnag am Arfaeth! Geiriau esgymun i seiciatreg fel arfer. Ond mae'r seiciatrydd yn gorfod ymdopi â'r teimladau cymhleth, gwrthgyferbyniol sydd ynghlwm wrth syniadau o'r fath, megis euogrwydd, anobaith, galar a'r awydd i gymodi â rhywun arall. Ei atebion, yn wir ei gwestiynau, sy'n wahanol, yn annealladwy i bobl fel Abel a Mari a'u tebyg. Ac i'r 'Gwyddel', does bosib. Yn enwedig os byddai'n 'Holi fel llyfr' fel y gwnaeth yr un yn nofel Kate Roberts, *Tywyll Heno*.

Petai'r 'Gwyddel' yn mynychu'r Gyffesgell tua'r Wyddgrug yna, mae'n eithaf tebyg bryd hynny y clywsai ddigon o holi am berthynas pobl â'i gilydd, ac yn arbennig am eu perthynas rywiol. Dyna fu obsesiwn y Gyffesgell am gyfnod maith, mae arna i ofn. Yng ngweithrediad y Gyffes, yn y syniad o wneud Iawn neu Benyd am ei gamweddau, er mwyn gwneud cymod rhyngddo â Duw ac a'i gyd-ddyn a'i adfer i gymundod llawn â nhw, yn hynny y clywai'r 'Gwyddel' a'i debyg rywbeth y buasai Thomas a Barbara, Abel a Mari, yn ei ddeall. Er iddyn nhw ganu 'Pa Dduw sy'n maddau fel Tydi/Yn rhad ein holl bechodau ni?' buasai Mari'n siŵr o feddwl fod y Gollyngdod ar ddiwedd y Gyffes, y Pardwn, yn cael ei roi yn llawer rhy rad! Heb sôn am anwedd-ustra'r holl beth, gyda merched ifainc, chwedl y llyfrau a ymosodai bryd hynny ar Honiadau Eglwys Rufain, 'yn adrodd eu dirgel chwantau a phleserau wrth hen lanc'. Mae pethau wedi newid, diolch i'r Drefn. Wedi newid ym myd y gyffes o leiaf, a elwir gan Babyddion erbyn hyn yn Sagrafen Cymod a Phenyd.

Ond awn yn ôl i gyffesgell a seiadau'r seiciatrydd. Yn y sesiynau unigol y mae'r rhan fwyaf o gleifion yn eu cael gyda'u therapydd, mae yna elfen gref o gyfrinacholrwydd. Y therapydd sy'n holi a stilio ond, yn wahanol i'r Gyffesgell grefyddol, bydd y ddeuddyn wyneb yn wyneb, a'r naill yn gwybod pwy ydy'r llall. Y claf, druan, fydd yn gorfod arllwys ei fol; agor y dirgel leoedd yn y cof lle gadawyd i atgofion, profiadau, ofnau brawychus neu boenus lechu, a dinoethi'r hunan yn druenus. Go brin y gofynna'r claf unrhyw gwestiwn i'r therapydd gan ei fod, yn ei wendid, yn tueddu i deimlo fod hwnnw'n hollalluog a hollwybodol bron, a'i fod yn dra dibynnol arno.

Yr unig beth y disgwylir i'r therapydd ei gyfrannu ydy techneg a phrofiad, a rhywfaint o gydymdeimlad. Dydy'r ddau berson ddim ar yr un tir, na'r un gwastad, o gwbl. Yr hyn a ddaeth â nhw at ei gilydd ydy'r syniad fod y claf yn afiach, a bod y meddyg yn medru gwella'i glwyf. Problem faterol neu fateryddol ydy afiechyd yn yr ystyr yna, a does wiw i rywun ystyried cwestiynau athronyddol, diwylliadol, heb sôn am rai ontolegol. Bron na ellid dweud fod tabŵ ar eu trafod!

Mae hyn yn rhannol er mwyn diogelu'r claf rhag dylanwadu arno'n annheg gan y therapydd, ond hefyd am nad oes gan seiciatreg, o'i hanfod, ddim i'w ddweud ar y pynciau hynny. Mae'n wir yr edrychir ar y gymysgedd teimladau: o ofn neu arswyd, o flinder neu gynddaredd, o benbleth neu ddryswch, o ddiffyg neu ormodedd nwyd, neu gybôl o'r rhain i gyd. Eto, prin yr edrychir am y rhesymau drostynt, nac am eu hystyr y tu allan i ymwneud pobl â'i gilydd yn deuluol neu'n rhywiol neu'n swyddogaethol. A'r ymwneud hwnnw'n cael ei astudio fel ffenomen fiolegol yn bennaf.

Prin iawn ydy'r cleifion hynny sydd wedi canfod ystyr newydd, modd i fyw megis, o dderbyn triniaeth o'r fath. Yn amlach na pheidio, fe geir gwell canlyniadau oddi wrth gyffur a chysur. Eto, mae yna broblemau sydd fel petaen nhw'n gofyn am help i'r claf ddirnad yr argyfwng y mae ynddo, a chynnig rhyw rym, rhyw nerth i'w alluogi i'w weddnewid ei hun, neu gael ei ail-eni megis. Ond yn y fan yna eto dyna ni'n troi at iaith seiat a chyffesgell a bedyddfa.

Peth peryglus iawn, wrth gwrs, ydy ymgymryd â helpu neu gyfarwyddo pobl sydd â'u heneidiau'n gignoeth oherwydd afiechyd neu anhwylder meddyliol neu brofedigaeth sydd wedi'u hysigo'n friw. Mae cyfrifoldeb arswydus ar y therapydd neu bwy bynnag sy'n ymgymryd â helpu'r truan i dynnu oddi amdano'n feddyliol, onid yn eneidiol:

> Pan dynnwn oddi arnom bob ryw wisg
> Mantell parchusrwydd a gwybodaeth ddoeth,
> Lliain diwylliant a sidanau dysg;
> Mor llwm yw'r enaid, yr aflendid noeth:
> Mae'r llaid cyntefig yn ein deunydd tlawd,
> Llysnafedd bwystfil yn ein mêr a'n gwaed.
> Mae saeth y bwa rhwng ein bys a'n bawd
> A'r ddawns anwareiddiedig yn ein traed . . .

Ysgrifennodd Gwenallt y gerdd yna am Bechod yng nghyfnod twf Hitleriaeth, pan oedd erlid dieflig ar yr Iddewon a lleiafrifoedd eraill, ac mae'n disgrifio'n union yr hyn a ganfyddai'r Iddew rhyfeddol hwnnw, Freud, dan fentyll eneidiau'i gleifion. Ond wrth drafod Hitleriaeth, bu raid i Freud, yntau, geisio creu rhyw fyth, gan na fedrai ddarganfod hen un cymwys. Ac yn y rhan yna o'i waith roedd yntau'n sôn am gamwedd, am yr hyn a alwem ni yn bechu yn erbyn pobl neu berson, a gorfod gwneud iawn neu benyd er mwyn cael eich derbyn yn ôl gan y llall. Nid ei fod yn sôn yn ein termau ni am bechod a chymod, nac am iawn a chariad a maddeuant, ond daeth Freud yn agosach at ieithwedd fel yna bryd hynny nag ar unrhyw gyfnod arall. Yn gyffredinol, dydy seiciatreg ddim yn derbyn y syniad a grynhoir yn nheitl cerdd Gwenallt, heb sôn am yr hyn a geir yng ngweddill y soned:

Wrth grwydro hyd y fforest wreiddiol, rydd,
Canfyddwn rhwng y brigau ddarn o'r Nef,
Lle cân y saint anthemau gras a ffydd,
Magnificat Ei iechydwriaeth Ef.
Fel bleiddiaid codwn ni ein ffroenau fry
Gan udo am y Gwaed a'n prynodd ni.

Wrth gofio am Ddyn y Bleiddiaid, claf enwocaf Freud, sef y creadur arteithiedig hwnnw a fu dan driniaeth Freud a'i gydweithwyr gydol ei oes, bron, oherwydd iddo gael ei boenydio gan ddrychiolaethau o fleiddiaid,—tybed na fuasai hwnnw wedi cael mwy o fudd o geisio ffordd ymwared o'i fforest ddiffaith drwy ddilyn llwybrau cân Gwenallt? Go brin y buasai hi wedi bod yn waeth arno.

Cofiwch nad ymosod ar Freud a'i debyg ydy fy mwriad i yma, ond, os rhywbeth, ymosod ar weinidogion ac offeiriaid—yn enwedig yng nghyfnod twf syniadau Freud—am golli'u ffydd a methu â phregethu a gweinyddu Efengyl Cariad maddeugar, cymodol a diddanol Duw. Dyna'r unig beth a ddichon gynnig hyd yn oed y posibilrwydd o wir iachâd i ddynion yn eu trueni, a'u dyheadau am berffeithrwydd, parhad, cyfiawnder, harddwch, mwynhad a chael perthyn. Petai'r Gyffesgell a'r Seiat wedi bod yn deyrngar i'w hegwyddorion sylfaenol, ni fuasai mwy na hanner y gwelyau yn ein hysbytai wedi gorfod bod yn rhai ar gyfer y sâl eu meddwl ers degawdau (cyn yr alltudio diweddar ar gymaint ohonyn nhw i'r 'Gymuned' aliwn nad oes ganddi'r gwead na'r adnoddau i ofalu amdanyn nhw). Ni byddai ein meddygfeydd mor llawn o bobl â gofidiau a theimladau eraill nad oes a wnelo nhw â meddygaeth fel y cyfryw, ond sydd mor aml yn eu hamlygu'u hunain mewn anhwylderau corfforol.

Prif swyddogaeth y Gyffesgell a'r Seiat, dybiwn i, ydy ymdrin ag euogrwydd a'r awydd affwysol sydd mewn pobl i wneud iawn am eu pechodau a chael eu cymodi â'i gilydd, os nad â Duw yn ogystal. Ond at seiciatrydd neu gwacyddion y maes hwnnw, neu astrolegwyr ac ati, y mae'r rhan fwyaf yn troi.

Sôn yr ydw i rŵan, nid am y creaduriaid hynny sy'n dioddef o afiechydon meddwl dwys, y rhai gwir wallgof neu orffwyll; nid ychwaith am rai â nam meddyliol enbyd, neu bobl sydd wedi colli'u pwyll ar ôl damwain, strôc neu dyfiant yn yr ymennydd, neu'n ffwndro yn eu henaint. Sôn yr ydw i am bobl sydd mewn gofid neu bryder neu ofn afresymol, ymdeimlad o euogrwydd na ellir dirnad sail ddigonol iddo, mewn galar anesgor, neu am ryw reswm neu'i gilydd yn methu gweld eu ffordd ymlaen. Pobl unig, wedi colli arnyn nhw'u hunain i raddau, sydd efallai'n ystyried ffoi i unigrwydd gwaeth, neu wneud 'iawn' am eu camweddau trwy eu difa'u hunain, fel y prif gymeriad yn *Un Nos Ola Leuad*.

Mae llawer o bobl yn y math yna o gyflwr yn dal i fynd at offeiriad neu weinidog, a phob math o Samariaid sy'n fodlon cynnal beichiau pobl. Ond y mae llawer gormod yn troi at feddyg, gan chwilio am unrhyw un i wrando'u cwyn, a'r nifer mwyaf yn diweddu yng nghlinig y meddyg sy'n medru gwrando, sef y seiciatrydd. Yn aml, y peth gorau a wnaiff hwnnw fydd gwrando'n unig, gan rannu'r baich ryw gymaint. Ond y mae rhai beichiau, yn enwedig o euogrwydd, sy'n anodd iawn eu rhannu. Mae'n rhaid i'r euog wrth faddeuant, y cyfle i wneud iawn, a'r sicrwydd fod rhywun yn eu caru'n ddigon i'w derbyn, eu cymryd fel y maent, hyd yn oed os na allant fyth fod yn well.

Dewch inni fanylu ar y modd y trinnir pobl fel hyn gan seiciatrydd neu seicotherapydd. Yn gyntaf, mae'r claf a'r therapydd, neu aelodau o'r grŵp therapiwtig, i fod i ffurfio perthynas agos, deimladol, ymddiriedol, gyfrin, fel y dywedodd yr Athro Myer Sim yn ei lyfr mawr safonol. Yn ail, cynigir rhyw resymoliad neu fyth i esbonio achos a natur gofid y claf, a'r dull o'i leddfu. Yn drydydd, ceisir dyfnhau dealltwriaeth y claf o ffynhonnell ei broblemau, a rhoi gwybod iddo am ffyrdd eraill o'u trafod. Yn bedwerydd, ceisir rhoi gobaith iddo neu iddi, drwy rym rhinweddau personol y therapydd, a safle arbennig a dyrchafedig hwnnw o fewn cymdeithas (a dal i ddyfynnu'r Athro Sim). Yn bumed, ceisir rhoi i'r claf y profiad o feistroli'i symptomau, hyd yn oed os mai dros dro yn unig y bydd hynny—ar y dechrau o leiaf—a thrwy hynny roi gobaith iddo am lwyr wellhad yn y man. Yn olaf, ceisir corddi ei deimladau er mwyn ei gwneud hi'n bosib iddo newid ei agwedd at bethau, ac at ei ymddygiad.

Yn achos therapi-grŵp, ymgais sydd yna i ddefnyddio uned sy'n hanfodol i'r ddynoliaeth, boed deulu, boed gyfeillion neu gydweithwyr, neu, yn yr achos yma, gyd-ddioddefwyr. Mae hyn wedi digwydd ers cyn Hanes; pobl yn cynnal ei gilydd yn emosiynol, yn eu halltudiaeth, eu hesgymundod, eu gwahanglwyf, ac weithiau yn eu hawydd i gyfranogi o brofiadau Duw a'i glodfori. Dyna ichi'r Eseniaid ar lan orllewinol y Môr Marw, mynachlogydd a chwfeintiau ac urddau'r Eglwysi Pabyddol ac Uniongred, Brawdoliaethau a Chwioryddiaethau o fewn Protestaniaeth, heb sôn am gymdeithasau cudd a chyfeillgar.

Mae tarddiad y syniad allan o'r teulu yn amlwg yn y defnydd a wneir o'r cyfarchaid 'Brawd' neu 'Chwaer' yn y grwpiau hyn. Ond peth diweddar, ers y rhyfel diwethaf i bob pwrpas, ydy therapi-grŵp. Dechreuodd fel ffordd o ail-sefydlu cyn-garcharorion rhyfel yn ôl yn eu mamwlad. Delio â'r broblem o euogrwydd yn y carcharorion oedd y prif orchwyl; euogrwydd afresymol fel arfer, am eu bod wedi cael eu dal, ac yn aml roedden nhw'n taflosod yr euogrwydd hwnnw ar gymdeithas yn gyffredinol, gan feio pawb a phobun am fethu â bod yn deg â nhw.

Fe lwyddodd y dechneg, ac fe'i cymhwyswyd at fathau eraill o broblemau emosiynol. Sail y driniaeth ydy bod yr unigolion yn ymgolli i raddau yn y grŵp, yn ôl rhyw reddf dorfol; yn gwneud pethau na feiddien nhw eu gwneud ar eu pennau'u hunain, ond ar yr un pryd yn fwy agored i gael eu cyflyru, er gwell neu er gwaeth. Yn gyffredinol, mae therapi-grŵp yn gweithio orau pan fo'r aelodau'n cyd-gyfrannu o ryw broblem arbennig.

Mae yna ddau fath o grŵp yn ôl y dull o drefnu pethau. Mae'r naill gydag arweinydd neu gyfarwyddwr neu stiward, a elwir yn un didactig neu gyfarwyddiadol. A'r llall yn un di-gyfarwyddwr, a elwir yn un anghyfarwyddiadol. Ond tueddiad yr olaf ydy ethol rhyw fath ar arweinydd, er na chaiff ei gydnabod felly'n ffurfiol. Pwysleisir yr angen am sicrhau fod pobl yn cael eu cymell i eistedd ac i ymddwyn fel bod pob un yn cael y cyfle i'w fynegi'i hun, ac yn achos y grwpiau cyfarwyddiadol, bod yr arweinydd yn helpu i sicrhau hynny.

Ond o glywed pobl yn swnio fel petaen nhw'n eu mynegi'u hunain, pa sicrwydd sydd yna eu bod yn dweud y gwir, neu'r gwir fel maen nhw'n ei weld o, ac nid yn palu celwyddau, neu'n mwynhau corddi'r dyfroedd? Mae rhai cleifion yn cael eu gwrthod ar gyfer triniaeth o'r fath, gan gynnwys y rhai lled-loerig sy'n methu peidio â siarad, a'r rhai hynny a elwir yn seicopathig —heb fod ynddyn nhw unrhyw arwydd o gydwybod. Dywedir y gall seicotherapi ymwneud â dryswch yn yr isymwybod, ond nid â thwyll ymwybodol. Yn ôl tystiolaeth un claf a fu mewn therapi-grŵp am gyfnod gweddol hir, roedd y profiad weithiau fel bod yng Ngwlad Hud Alys! Dyma ddyfyniad allan o lyfr yr Athro Myer Sim:

Fe'n cymhellwyd i fynegi'n teimladau'n gyffredinol, gan gynnwys sut y teimlem tuag at ein gilydd. Y nefoedd a ŵyr sawl miliwn o eiriau a draddodwyd, ac i gyn lleied o bwrpas i bob golwg. Ar brydiau, byddai'r grŵp yn swrth a thawedog. Bryd arall, fe fyddai un o'r cleifion yn mynegi neu'n cyffesu'i deimladau'n ddramatig; teimladau o wylltineb neu, efallai, o gasineb neu chwant. Dyna'r union beth yr oedd y seiciatryddion am ei weld, ond pan fyddai'r dagrau neu'r cyffro a'r ffwdan wedi diflannu, doedd yna ddim canlyniad amlwg wedi deillio o'r peth.

Mae'n mynd ymlaen i adrodd fel y bu hi yn y grŵp am ddeng mis, ac wedyn am flwyddyn yn mynychu'r clinig dilynol, a'r cwbl y teimlai iddi ei gael o'r holl beth oedd obsesiwn ynghylch bod yn niwrotig. Mae yna lawer a fedrai ddweud yr un peth, ac mai'r unig gymorth a gawson nhw o fod yn yr ysbyty oedd egwyl i feddwl, cydymdeimlad staff, a chefnogaeth teulu a chyfeillion oedd yn aml heb fod yn ddigon ystyriol gynt. Cofiwch am Bet yn *Tywyll Heno*, Kate Roberts: mae'r cwmwl yn dod drosti, a'i gŵr yn rhy brysur wrth ei waith yn bugeilio eraill i weld beth oedd yn digwydd ar ei aelwyd.

Ond o droi at hanes Bet, rydym ni ym myd cyfarwydd crefydd a'r Mans, er mai mewn ysbyty meddwl y mae Bet, druan, ac er bod y disgrifiad o'r pruddglwyf arni yn cael ei ystyried gan seiciatryddion yn glasur o ddisgrifiad manwl o'r cyflwr. Ond yr hyn y mae Bet eisiau'i wneud ydy rhannu'i baich, os nad ei daflu oddi ar ei gwar hi ar ysgwyddau digon cryf i'w gynnal. Ac yn y diwedd, does ond un person â'r ysgwyddau fedr ddal holl feichiau'r ddynoliaeth. Bedair gwaith yn y llyfr, mae Bet yn sôn am ei hawydd i gyffesu. Y tro cyntaf, mae hi'n meddwl y carai gael—

rhywun hollol ddieithr i gyffesu wrtho. Oni bai bod Wil yn byw yn rhy bell, buaswn yn mynd ato fo; yr oedd wedi sôn am golli ffydd yn ei lythyr . . .

Yr ail dro, mae'n dweud wrthi'i hun:

Byddai'n rhaid imi fynd i'r seiat y noson honno; nid oedd hynny cyn gased gennyf â mynd i'r cyfarfod gweddi. Cylch trafod oedd y seiat i mi; nid oedd ynddi gyffesu pechodau mwyach. Faint a gymerai neb am gyffesu ei bechod? Ni fuaswn i fy hun yn cymryd y byd am fynd yno a dweud fy mod wedi colli fy ffydd. Ni chredwn i fod neb yn cyffesu ei wir bechod yn y gorffennol ychwaith; pechodau gwneud oeddynt a dagrau ffug. Yn y tai y byddai pobl yn golchi eu dillad budron ac nid yn y capel.

Druan o Bet yr un pryd, yn gorfod mynd i therapi-grŵp ac arddangos ei diffyg ffydd, a gweld pobl yn creu dagrau ffug a golchi'u dillad budron yng ngŵydd pob aelod arall.

Daw'r trydydd cyfeiriad wrth iddi ddisgrifio sesiwn gyda'i therapydd, a hwnnw'n ei holi 'fel ffurflen'.

'Er hynny,' meddai, 'ni fedrwn i anghofio bod yno berson byw o'm blaen a dderbyniai i'w ymwybod ei hun y pethau mwyaf dirgel yn fy nghalon. Yr oedd yn rhaid ei wynebu gan mai'r pethau dirgel hyn a ddaeth â mi yma, ac os oeddwn i gael mynd adref, neu'n hytrach, os oeddwn wedi gwella, yr oedd yn rhaid imi ateb cwestiynau dyn dieithr am bethau a debygwn i oedd yn anodd eu deall i mi fy hun.'

Mae'n mynd ymlaen i ddisgrifio'r holi a'r stilio, yna'n esbonio iddi sylweddoli—

ryw ddiwrnod nad oedd y peth yma ddim yn sefyll ar 'i ben ei hun, 'i fod o'n sownd wrth rywbeth arall . . . a'r rheswm na fedrwn i edrych ymlaen i'r dyfodol oedd, nad oeddwn i'n credu mewn dyfodol; doedd dim ystyr i fywyd; doedd Duw ddim yn rheoli'r byd; roedd O wedi'i adael o i ryw ffawd greulon.

Ar ôl hyn'na i gyd, er hynny, mae hi'n troi'r sgwrs at effeithiau ymarferol ei gwaeledd a'i gwellhad, a'r rheini'n eu hamlygu'u hunain yn ei pherthynas â phobl eraill, a'i gallu bellach i gymodi â nhw, ei chyd-ddioddefwyr yn hyn o ddyffryn dagrau. Mewn man arall mae hi'n sôn am fynd i gymuno gyda Duw, yn Swper yr Arglwydd.

Rŵan 'te! Fel mae'r rhan fwyaf o bobl sy'n mynd am driniaeth seico-therapiwtig yn amrywio yn eu gofynion a'u hymateb, yn ymateb orau i therapi ar eu pennau'u hunain gyda seiciatrydd, neu mewn grŵp, neu mewn cyfuniad o'r ddau, fe debygwn i fod hyn yn gysgod o anghenion pobl yn eu trallod—hynny ydy, pob un ohonom ni, yn enwedig ar brydiau. Ac mae gennym y gwahanol batrymau o ymateb yn y seiat a'r gyffesgell.

Does dim gwell disgrifiad ar gael o'r hyn y dylai therapydd fod mewn grŵp, neu o anghenion aelodau o grŵp a pheryglon y

81

math yna o gynnig cymorth wrth rannu beichiau, nag yn y deialogau rhwng Theophilus ac Eusebius yn *Drws y Society Profiad*. Mae'r rhesymau dros gynnal seiat a'r dull o gymell pobl yn eithaf agos at egwyddorion therapi-grŵp hefyd, fel y soniais uchod: yr angen am berthynas ac am fedru ymddiried; yr angen am gorddi'r teimladau er mwyn medru newid agwedd, y rheidrwydd am ryw esboniad neu fyth i egluro natur y gofid, a'r profiad, dros dro o leiaf, o oresgyn y gofid a gweld gobaith am i hynny ddigwydd yn llwyr rhyw ddydd. A hyn i gyd yn digwydd i ryw raddau drwy rinwedd a safle arbennig y therapydd!

Mae stiwardiaid y seiat i fod i wneud hyn'na i gyd, ond yn trarhagori ar unrhyw therapydd cyffredin, dybiwn i, am eu bod yn gallu cynnig y sicrwydd fod yna berson y tu ôl, y tu draw, ond sy'n gefn i'r stiward, a ddichon addo maddeuant a chymod ond i'r person dderbyn pregethau ac anogaethau'r stiward, a chymorth a gweddi ei gyd-aelodau. Y person hwnnw, wrth gwrs, ydy'r un a oedd yn ystod ei fuchedd yn ein plith ni pan oedd ar y ddaear yma yn stiward perffaith, ac wedi dangos sut i gymodi dyn â dyn ac â Duw.

Maddeuant, wedi'r cwbl, ydy hanfod trin euogrwydd, hyd yn oed euogrwydd afiach, ac euogrwydd ydy'r un ochr hanfodol i'r profiad o drio caru pobl a chael eich caru ganddyn nhw, fel mai ystyr pechod ydy troi cefn ar rywun, a rhwystro llif cariad rhwng pobl. A gwyddai Abel Hughes a'i debyg fod pechod yn medru'i amlygu'i hun, neu ei effeithiau'n medru gwneud hynny, mewn amryfal ffyrdd. Roedd yn rhaid i'r stiward da, fel y dywedir yn llawlyfr Williams Pantycelyn:

fod â'r profiad, y doethineb, y pwyll a'r arafwch, ac yn meddu llygaid clir i adnabod tymherau, nwydau, profedigaethau a thueddiadau pennaf pob oedran a graddau o aelodau'r gymdeithas . . . i fod yn greulon wrth rai a'u tynnu fel tewynion o'r tân, ac yn dynerach wrth eraill, i ddiddanu'r gwan ei feddwl, i gryfhau'r llesg, ac i iachau clwyfau'r drylliedig ei ysbryd.

Bod Duw'n ein caru ni hyd at ffolineb, yn fodlon marw drosom ni, dyna'r rhesymoliad, neu'r myth, sydd ei angen ar therapi-grŵp i esbonio pam yr ydym ni weithiau'n teimlo rhyw hiraeth am berson hollol gyfiawn; rhyw awydd angerddol am ddaioni.

Am mai mater o dorri ar berthynas ydy pechod, wrth ei unioni drachefn mae teimladau cymysg iawn yn corddi, teimlad o ostyngeiddrwydd yn amlach na pheidio, a hynny'n ei gwneud hi'n haws i faddau. A'r maddeuant yn ennyn edifeirwch, a'r awydd i wneud iawn o ryw fath. Mae hyn yn wir rhwng dau sy'n caru'i gilydd, ac amdanom ni, ei greaduriaid, yn ein perthynas â Duw. Wrth sôn am wneud iawn, nid sôn am ryw arferion morbid megis gwisgo sachlian a lludw neu hunan-fflangellu yr ydw i. Ni all yr un weithred ddynol wneud iawn digonol dros ein pechodau ni, wrth gwrs, hyd yn oed y rhai yn erbyn ein gilydd. Ond mae'r weithred sumbolaidd o wneud rhyw iawn neu benyd yn un bwysig, fel ymateb i'r sicrwydd o faddeuant oherwydd fod iawn digonol wedi ei gyflawni gan Dduw ei hun ym mherson Crist. Nid talu iawndal neu ddirwy yr ydym ni, ond cymryd rhan mewn gweithred o gymod.

Gwneud rhywbeth fel prynu blodau, mynd â phaned i'r gwely i'n priod neu ryw berthynas arall a wnawn ni wrth geisio unioni pethau, a chymodi gydag aelod o'r teulu. Yn y sagrafen Babyddol o Gymod a Phenyd, a elwid gynt yn Gyffes, gweddïo dros eraill, dros dlodion y Trydydd Byd efallai, a myfyrio ar ddioddefaint Crist drosom, dyna'r math o benyd sumbolaidd a osodir arnom ni. Ond os cyflawnwyd rhyw bechod difrifol yn erbyn rhywun arall, megis cenhedlu plentyn heb fedru cymryd y cyfrifoldeb amdano, dwyn, twyllo, athrodi, niweidio neu ladd, yna mae'n rhaid gwneud iawn i'r person arall yn ogystal er mwyn profi dilysrwydd ein hedifeirwch, ac i'r datganiad o ryddhad a maddeuant gan yr offeiriad fod yn effeithlon. Mae'n rhaid i'r Mab Afradlon gymodi gyda'i frawd yn ogystal â chyda'i rieni.

Mae angen hefyd i Gyffeswr, fel i stiward, adnabod y gwahaniaeth rhwng 'calon friw a melancoli', ac yn gyffredinol rhwng sgil-effeithiau pechod a sgil-effeithiau afiechyd, er y dylid cofio mai ffrwyth ein Pechod Gwreiddiol ni fel Hil Adda, ein Cwymp (onid ein naid) oddi wrth Ras, ydy pob anhrefn ac anhwylder a phrofiad chwerw yn hanes y ddynoliaeth.

Nod amgen y sagrafen o Gymod a Phenyd, i mi o leiaf, ydy bod yr Ysbryd, trwy fedydd a phregeth a gweddi'r pechadur a'i gyd-eglwyswyr, ei gyd-bechaduriaid, yn corddi teimladau neu ysbryd dyn i edifarhau. Digwydd hyn yn ysbeidiol ac yn gynyddol, gobeithio, fel yr â'r creadur yn gyson ymwybodol o'i grwydro ffôl. 'Ac y mae,' fel y'i mynegir yng Nghyffes Ffydd yr Hen Gorff, 'yn ddyletswydd ar y dyn edifarhau, nid yn unig am bechod yn gyffredinol, ond hefyd am ein holl bechodau neilltuol.'

P'un ai mewn cyffesgell dywyll, wrth gynrychiolydd anhysbys Duw a'r gynulleidfa a'r Eglwys gyfan, y mae gwneud hynny sy'n gwestiwn arall. I mi, fel i Bet Kate Roberts, mae'n anodd iawn gen i agor fy nghalon i'r eithaf yn gyhoeddus heb deimlo'n ymffrostgar neu'n ffuantus neu'n hunangyfiawn. Rydw i'n chwysu wrth ddarllen llyfr fel *Cudd Fy Meiau*, er cymaint yr ydw i'n edmygu Pennar Davies. Mae darllen hanes ambell sant neu led-sant Pabyddol yn gwneud yr un peth imi. Fy hoff saint i ydy naill ai'r rhai mwyaf nwydwyllt eu duwioldeb, fel Siwan d'Arch, y rhai gwir ddiniwed fel Waldo, neu ferthyron er eu gwaethaf fel Richard Gwyn, John Penri neu Thomas More.

Does dim dwywaith, ar y llaw arall, nad ydy brawdoliaeth neu chwaeryddiaeth yn help i lawer, yn enwedig y rhai di-deulu. Buaswn wrth fy modd yn cael y ddau fath o roi tystiolaeth a chyffesu a chael maddeuant a chymodi yn cyd-fyw o fewn yr un drefn, ac mi ddaw hynny, gobeithio. Ond bydd yn rhaid i seiadau ddal i ochel rhag twyll a stranciau pobl, a'r holl beryglon eraill a ragwelodd Pantycelyn. Rhaid i'r Pabyddion, hwythau, ochel y peryglon o adrodd a chlywed y pethau na ddylid eu crybwyll ar goedd, nid fy mod yn cyd-fynd yn union â Phantycelyn ar beth ydy'r rheini. Yn sicr, mae yntau'n gweld y broblem o beth i'w wneud ynghylch y pechodau arbennig hynny, os ydyn nhw'n pwyso ar y gydwybod.

Mae'n talu teyrnged i allu offeiriaid y gyffesgell i gadw cyfrinach:

Mae offeiriaid Eglwys Rufain, ag sydd yn cael cwnsel yr holl bobl, o'r brenin i'r ysgybwr simneiau, yn medru cadw dirgelion yr eglwys tra fônt byw yn y byd, ac os medr eglwys buteinlled wneud hyn, llawer rhagor dyled y wir eglwys yw cadw yr hyn roir iddi i'w gadw.

Ond mae angen heddiw i'r cyffeswr Pabyddol roi mwy o bwyslais ar gael tystiolaeth am gyflwr enaid y pechadur, a llai ar weithrediadau mecanyddol; llai ar Gyfraith Moses, hefyd, efallai. Rhoi mwy o bwyslais ar yr hyn a esgeuluswyd yn ogystal â'r hyn a gyflawnwyd gennym gyda'r talentau a'r ffaeleddau sydd ynom. Fel y'n gwnaed yn greaduriaid newydd trwy fedydd, felly yr adferir ni yn ein gweithredoedd o edifeirwch, derbyn maddeuant a gwneud iawn. Erbyn heddiw, trefnir y sagrafen o

84

Gymod a Phenyd o flaen Offeren y Sul yn aml, er mwyn pwysleisio hyn: mai trwy gael ein hail-eni a'n cymodi â Duw a'n cyd-ddyn y medrwn fynd ymlaen fel teulu i addoli a moli Duw, ac i gymuno ag Ef fel rhagflas o'n bywyd yn y nef.

Mae holl naws y sagrafen wedi newid i fod yn fwy Ysgrythurol ei chynnwys, yn fwy cariadus a ffyddiog, a llai deddfol. Ar ôl cael ei groesawu a'i annog i ymddiried yn Nuw, a chlywed darllen rhan fach berthnasol o'r Ysgrythur, gofynnir i'r pechadur, neu'r penydiwr, gyflwyno'i dystiolaeth a chyffesu, ac wedyn i ddatgan ei edifeirwch mewn geiriau priodol. Yna gosodir penyd arno, ac os bydd raid fe ofynnir iddo wneud iawn i'r sawl y pechodd yn ei erbyn ar yr hen ddaear yma. I'r graddau y bydd am wneud hynny, i'r graddau y mae'n wir edifeiriol ac yn bwriadu cywiro'i fuchedd ac osgoi achlysuron sy'n ei dynnu at bechod, i'r graddau hynny y caiff ei ryddhau a maddau'i bechod wrth i'r offeiriad adrodd y geiriau hyn:

Y mae Duw, Tad pob tosturi, wedi cymodi'r byd ag ef ei hun trwy farwolaeth ac atgyfodiad ei Fab, gan arllwys yr Ysbryd Glân er maddeuant pechodau. Trwy weinidogaeth yr Eglwys, boed iddo roi i chwi faddeuant a thangnefedd, ac yr wyf i yn eich gollwng yn rhydd oddi wrth eich pechodau, yn enw'r Tad, a'r Mab, a'r Ysbryd Glân.

Mae seiat hefyd, wrth reswm, wrth gymell pobl i gyffesu'n agored, ac ar eu gliniau ym mhreifatrwydd eu sedd yn y capel neu gartref, neu yn studfa'r gweinidog. Ac wrth gyffroi pobl i edifeirwch a'u sicrhau fod trefn ar gael i faddau pechod yn yr Iawn, yn arwain pobl at y maddeuant a'r cymod hwnnw. Ond fe haerwn i fod profiad seiciatreg yn dangos fod lle pwysig, os nad pwysicach, hefyd i'r drefn o gael rhywun yn cynrychioli Duw a'r Eglwys yn ffurfiol, a hynny heb i'w berson o, fel dyn, ymyrryd fawr ddim â'r broses. Pan fyddai i, ambell waith, yn gorfod trafod claf—gyda'i ganiatâd, wrth gwrs—yng ngŵydd seiciat-ryddion eraill neu gywion seiciatryddion neu nyrsys neu weithwyr cymdeithasol, yn ein gwylio drwy sgrin arbennig, dydw i ddim yn medru gweithio'n iawn o gwbl. Mae'r berthynas â'r claf, y cydymdeimlad, y trosglwyddiad teimladau ac weithiau syniadau, yn mynd o chwith am fod cyfrinacholrwydd ein sefyllfa wedi'i chwalu. A hefyd am fy mod i, o leiaf, yn ymwybodol o'm teimladau tuag at y bobl y tu ôl i'r sgrin, ac o'r herwydd yn tueddu

85

i actio, ymagweddu, bod yn ffug wylaidd, neu'n ofni arddangos fy ffaeleddau yng ngŵydd fy nghyd-weithwyr. Mae'r elfen yna o sicrwydd hollol fod y therapydd yn cadw pob cyfrinach yn holl bwysig. Mae hyd yn oed yn bwysicach, yn siŵr gen i, yn achos Cyffes—lle mae rhywun i fod i ymddiried yn llwyr yn Nuw wrth ddinoethi'r enaid, druan nad oes fod dynol arall yn gwybod pwy ydych chi.

Fy mhrofiad i o'r gyffesgell, ar y cyfan, (yn enwedig yn y cyfnod diweddar pan nad oes bwyso ar bobl i fynd iddi'n rhy aml rhag i'r peth fynd yn ddim namyn defod) ydy bod ar fy mhen fy hun am ennyd, gorfod wynebu'r hunan a'r holl ffaeleddau a chamweddau y bûm i'n ceisio meddwl amdanyn nhw wrth baratoi at y gyffes, ac yna fy marnu fy hunan, gyda help yr offeiriad, cyn derbyn maddeuant.

'Na farna, fel na'th fernir,' ond yn y gyffes, eich barnu'ch hunan yr ydych chi; gweld sut yr ydych wedi esgeuluso neu wyrdroi eich gallu i dderbyn gras Duw a gwneud daioni. Mae adrodd geiriau'r cyfaddefiad neu gyffesiad, clywed geiriau'r rhyddhad a maddeuant, a gwneud y weithred o benyd, i gyd yn foddion i ddiriaethu'r holl brofiad yn y meddwl ac yn y galon, ac yn fodd i godi honno. Profiad cariadus a gobeithiol. Ond imi ddiosg fy malchder ac erfyn am faddeuant, rwy'n cael y sicrwydd ohono.

Hynny, rwy'n siŵr, y mae'r rhan fwyaf o'r trueiniaid sy'n mynd â'u hingoedd at seiciatrydd yn brefu amdano; y sicrwydd hwnnw a fedr atal llawer ohonyn nhw rhag eu poenydio neu eu difa'u hunain. Cofiwn am ddiwedd nofel fawr Dostoiefsci, lle mae cariad anorthrech Sonia, ei gallu i faddau popeth iddo ond iddo drio gwneud iawn a newid ei fuchedd, yn llwyddo i achub Rascolnicoff, y dihiryn o lofrudd, i fywyd tragwyddol.

(Anerchiad i Undeb Athrofa'r Bala)

12   Pwyll, Twyll neu Rwyll

I seiciatrydd mae ystyr arbennig i'r gair 'pwyll'. A dyna fy man cychwyn yn yr ysgrif hon.

I bob un ohonom mae a wnelo pwyll â bod yn gall; a cholli pwyll, neu fynd yn orffwyll, yn gyfystyr â bod yn wallgof neu golli arnoch chi'ch hun. Mae pwyll hefyd yn awgrymu bod yn rhesymol; yn wir, mae'n awgrymu dibynnu ar reswm rhagor na'r dychymyg, neu unrhyw ddirnadaethau eraill o'n byd ni.

Pwynt a diben triniaeth seiciatrig yw ceisio adfer person i'w bwyll, neu wneud hynny'n rhannol o leiaf. Dod â'r person yn ôl at ei goed, at realiti, ato'i hun. Yn amlach na pheidio mewn achosion o orffwylltra neu wallgofrwydd, neu mewn sefyll-faoedd o argyfwng yn natblygiad personoliaeth llanc neu lances ar adeg prifiant, golyga'r adferiad hwn i iechyd neu bwyll fod y person yn mynd yn un tristach. Hen wireb annymunol i'w derbyn yw fod mynd yn ddoethach yn golygu mynd yn dristach.

Gyda'r cleifion yr wyf yn sôn amdanynt yn awr, golyga'r driniaeth, boed â chyffuriau neu seicotherapi neu seicdreiddiad, neu beth bynnag a fo, fod y claf yn cael ei dywys neu'i wthio neu'i orfodi i gefnu ar bob lloches a fu ganddo rhag enbydrwydd ei fywyd, neu fywyd ei hun. Gomeddir iddo bob enciliad neu wrthgiliad, pob ffantasi ac ofergoel, hyd yn oed pob gobaith a breuddwyd nad oes sail iddynt mewn realiti.

Plentyn fel Marc, er enghraifft, a'i fam yn crwydro'r stryd lle mae o'n byw, ei gwisg yn aflêr a bron yn aflednais oherwydd ei salwch meddwl. Yntau'n meddwl y byd ohoni, ond â chywilydd ofnadwy o'i golwg a'i hymddygiad ysgeler. Marc, druan, yn ffoi i fyd ffantasi, ar ôl trio'i chael hi'n ôl i'r tŷ droeon. Y tad wedi ffoi'n llwyr ers blynyddoedd, a Marc yn gwneud hynny bron bob nos, pan nad yw yng nghelloedd yr heddlu. Yn gwersylla weithiau dan bont dros afon Taf, a rasio cerbyd, fel yn Rhufain gynt, ar hyd coridorau adran allanol Ysbyty Dewi Sant liw nos mewn cadair olwyn.

Plant eraill yn coelio y medrir rywsut ailgyfannu eu teuluoedd. Jason yn mynnu dal i fynd efo'i fag bach bob nos Wener at gongl y stryd ger y Dafarn Goch, rhag ofn i'w dad absennol rywbryd gadw ei air a dod yno i'w gyfarfod, a mynd â fo i fyw gyda fo a'i fodan newydd, yn ôl ei addewid ryw brynhawn, pan oedd o'n feddw ac wedi digwydd taro ar ei fab mewn siop. Merch yn coelio, os na fwytith hi, y medr hi droi'r cloc yn ôl yn ei hanes ei hun a hanes y teulu, pan oedd yn deulu. Merch arall yn meddwl y medr hi lenwi'r gwagle affwysol yng nghrombil ei bol, ar ôl colli ei rhieni oherwydd ysgariadau, drwy garu'n wyllt, a hyd yn oed gael babi bach i'w anwesu, fel yr hoffai hi gael ei hanwesu a'i choleddu ei hun.

Ie, coelion hurt, ofer, gorffwyll. Ond weithiau dyna'r unig bethau sy'n cadw personoliaeth yn weddol gytbwys; cadw person yn ei bwyll.

Mae cymaint o bobl ganol oed, wedyn, yn coleddu'r ffantasi y daw popeth yn iawn ryw ddydd: 'Mi wella' i pan ddaw'r gwanwyn.' A'n ffantasi fawr ni yw y medrir dileu angau ryw ddydd.

Ond ai ffantasïau felly yw'n credoau ni, Gristnogion, am fyd gwell i ddod; un sy'n bodoli ar y terfyn â'n byd ffaeledig ni yn awr? I'r hen seiciatryddion empeiraidd hynny, dyna ydynt hwy, a dim amgenach. Gobeithion neu freuddwydion nad oes sail iddynt mewn realiti.

Ond realiti pwy? Pwy sy'n dyfarnu rhwng yr hyn sy'n real a'r hyn sy'n ffantasi neu gamdybiaeth? Y syniad yw mai'r hyn y cytunir arno'n weddol gyffredinol yn y gymdeithas sy'n pennu beth yw realiti, neu y realiti. Ond y mae, wrth reswm, wahaniaethau oddi mewn i gymdeithas: cymdeithasau lleiafrifol oddi mewn i'r un ehangach. Ar un wedd, mae pob teulu'n gymdeithas leiafrifol. Ond mae'r sefyllfa'n fwy dyrys gyda sectau fel Tystion Jehofa neu'r Mormoniaid, a rhai ffwndamentalwyr—o ddiffyg gwell disgrifiad ohonynt. Ac fe all seiciatrydd fod o gefndir cymdeithasol gwahanol i'r claf, neu'n elyniaethus neu'n aliwn, neu'n anghydnaws naill ai gyda'i gymdeithas ei hun, neu ag un y claf neu'r un ehangach. Ceir digon o seiciatryddion sy'n byw yn eu byd bach eu hunain, tra'n mynnu dweud wrth bobl eraill sut i ymwneud â'i gilydd.

Yn wahanol i hynny, yn achos y seiat erstalwm, fe geid stiward oedd â'r un gred â'r bobl dan ei gyfarwyddyd am beth oedd yn real. Ond nid felly heddiw. I'r seiciatrydd, fel ag i'r rhan fwyaf ohonom erbyn hyn, y mae elfen gymariaethol ym mhob diffiniad o realiti, onid o'r gwir di-goll. Ac yn wir, y 'gwirionedd' yn yr ystyr y mae'r claf yn ei ddirnad ef am ei sefyllfa mewn amser a lle, ac mewn perthynas â phobl eraill, dyna yw'r realiti y mae'n rhaid i'r seiciatrydd ei amgyffred os yw am fedru cydymdeimlo ac ymuniaethu â'i glaf, yn enwedig yn achos seiciatryddion dirfodol. Fel hynny yr wyf fi'n gobeithio y bydd Duw—y Duw yr wyf yn digwydd credu ynddo—yn ymwneud â minnau!

Fe gofiwch am David Laing yn pwysleisio'r angen am inni oll ddirnad gofid y person sy'n meddwl ei fod yn rhywun arall, ac yn hollol sicr o hynny, ac eto'n sylweddoli nad oes neb yn ei goelio. Ac wedi'r cwbl, ef yw'r person, beth bynnag y mae ef neu unrhyw un arall am ei alw. Ef yw ef. Os ydych wedi coelio'n ddisyfl mai Gwallter Mechain ydych chwi, er enghraifft, ac eto'n gweld nad yw neb arall yn derbyn hynny, fe fyddech mor briodol drist a rhwystredig a blin â phetai'r hen Wallter ei hun gynt wedi canfod fod ei gâr a'i gydnabod—nid rhyw hen ddiawliaid fel Twm o'r Nant a'i griw!—yn gwrthod credu mai ef oedd ef. Dyna beth fyddai colli arnoch chi'ch hun; bod yn farw'n fyw ar ryw ystyr.

Mae'r profiad o golli arnoch chi'ch hun, sy'n dod i ran y gorffwyll a'r gwallgof, ac i ran y rhai sy'n cael trafferth ymffurfio'n bersonau arwahanol wrth dyfu i fyny, yn golygu profi'r teimlad hwnnw o fod yn farw'n fyw i ryw raddau. Ac unwaith y daw pobl felly atynt eu hunain, fwy neu lai—os y dônt—mae eu cyflwr yn ddigon tebyg i eiddo pobl sy'n dioddef o'r felan neu'r pruddglwyf. Ymdeimlad o ing sydd yma, ing dirfodol, *angst*, ynghylch diddymdra bywyd; y gwacter ystyr a'r diffyg gobaith am fywyd gwell, ac am bobl y medrir dibynnu arnynt.

Y mae pobl mewn argyfwng o'r fath, fel pobl sydd yng nghanol trallodion bywyd oherwydd rhyw brofedigaeth lem, neu rai sy'n wynebu rhyw storm enbyd ym myd natur, ar y môr, er enghraifft, yn medru gweld pethau'n eglur iawn yn aml, yn boenus felly. Rwy'n cofio bod ar y môr mawr, yr Iwerydd, mewn storm oedd bron yn ddrycin, yn rym 8, a'r tonnau'n ymhyrddio uwch ein pennau, gan godi'n uwch nag uchder tŷ. Roedd yn brofiad erchyll, i ddechrau. Roeddwn i'n ddirdynnol o ymwybodol fod ein llong ni mor fechan a'i fôr Ef mor fawr. Ac yn ymwybodol ohono Ef, fel y mae llongwyr ar adegau fel'na. Ond ni pharhaodd yr arswyd yn hir. Fedrai o ddim, neu mi fuaswn wedi gorfod gwneud amdanaf fy hun. Mi symudais allan o'r sefyllfa rywsut, nes medru rhyw edrych arni, ac fe fferrodd amser. Diolch i'r drefn, fe gyrhaeddom ni'r lan yn weddol fuan, ac mi ddeuthum i'n ôl at y presennol cyffredin.

Ond y mae'r fferru hwnnw ar amser yn digwydd yn barhaus, i nifer o eneidiau clwyfus. Profiad megis o uffern neu o burdan; profiad o dragwyddoldeb. Ond profiad lle gall person ymdeimlo â'r Nawr tragwyddol arall, a gwneud dewis a all greu bywyd newydd iddo.

Mewn sefyllfaoedd o argyfwng enbyd, o brofiadau sy'n ysigo'r bersonoliaeth, mewn salwch meddwl, mewn cyfnodau ymffurfiol mewn llencyndod neu ganol oed, mae pobl yn cael profiadau sy'n hanfodol grefyddol, ac mae'r rhan fwyaf o seiciatryddion yn cytuno fod hynny'n digwydd. Mae pobl yn dweud eu bod yn ymdeimlo â'r angen am gael eu golchi'n lân oddi wrth bechod, eu bod yn teimlo euogrwydd ac angen maddeuant, yn teimlo bod eu hiselder ysbryd yn deillio o'u pechodau ac yn cofio pechodau go iawn a gyflawnwyd ganddynt, yn erbyn Duw a dyn, efallai. Teimlo bod arnynt eisiau taflu eu baich oddi ar eu gwar, ac ar ryw anfeidrol fod a fedr ei dderbyn heb ysigo na diflannu. Pobl sy'n ymdeimlo â dimensiwn ysbrydol i fywyd. Yn wir, onid ydym ni oll, ar rai adegau neu mewn rhai cyflyrau o'n bywyd, yn ymdeimlo â phethau fel'na? Ar adegau o argyfwng mawr, o brofedigaeth, onid ydym ni oll bron yn medru o leiaf ystyried bod y posibilrwydd fod yna Dduw, a maddeuant, ac ystyr a diben i fywyd, bron mor real a chredadwy ag yw'r byd a'r bywyd hurt yr ydym yn ei brofi yma ar y pryd? Mae hyn fel troi byd Samuel Beckett o chwith. Lle mae ef yn gweld diddymdra bywyd, ei greulondeb a'i freuder, ei sumbolau eironig o ddioddefaint, a'r chwilota am ystyr, y rhain i gyd fel parodi hurt o grefydd, a chrefydd yn barodi yr un mor hurt o fywyd, mae llawer mwy o bobl glwyfus eu heneidiau yn gweld, fel trwy ddrych mewn dameg, gysgod neu amlinell o fyd gwell, ac o Rywun hollol gariadus a dibynadwy; rhyw feddyg rhad.

Wrth gwrs, ceir digon o achosion lle mae pobl gythryblus, drallodus yn ffoi at grefydd neu at grefyddolder er mwyn osogi eu gofid, gan fynnu bod Duw neu ei gynrychiolydd yn gweithio rhyw reibiaeth er mwyn cael gwared ar eu poen, ac yn anwybyddu rhan natur, a dynion, yn eu sefyllfa. Fe gytunai llawer ohonom mai ffurf ar hunan-dwyll yw peth felly. Ond mae'r rhan fwyaf o seiciatryddion yn mynd ymhellach, ac yn honni mai twyll neu hunan-dwyll yw pob coel neu brofiad crefyddol. Ac yn hyn o beth maent yn adlewyrchu barn gyffredin eu cymdeithas. Ofergoel ydy pob sôn am 'weld' neu 'glywed' angylion, neu freuddwydio bod ystyr i fywyd, a diben tragwyddol sy'n troi holl droeon chwerw'r yrfa'n felys—hyd yn oed angau dychrynllyd a'r bedd.

Mae gennym oll ddewis rhwng ystyried ffenomenau crefyddol ym mhrofiad pobl sydd dan straen enbyd fel arwyddion o ddimensiwn arall i'n bywydau, neu fel ffenomenau yn deillio o nam neu niwed corfforol. Sut y mae penderfynu p'run ai effaith nam ar gortecs ocipitol ei ymennydd, hynny yw, rhyw ffurf ar epilepsi, oedd i gyfrif am ddallu Paul ar ei ffordd i Ddamascus, ai ynteu goleuni a llais yn deillio o rywle ac o rywun y tu allan iddo? Yr un modd, sut mae penderfynu p'run ai hysterig oedd Ann Griffiths, ac ai dyn yn dioddef o anhwylder tost ar ei goluddion oedd George Fox, ai ynteu a oeddynt yn adnabod rhywun a roes iddynt ystyr arall i fywyd, gan wneud iddynt ymddwyn yn od a hynod, a'r profiadau a ddisgrifiwyd ganddynt yn rhai cwbl annormal, a chwbl groes i natur yng ngolwg pobl bwyllog yr hen fyd yma?

Y mae pobl grefyddol, nid credinwyr cyffredin ond pobl sy'n credu'n gryf neu'n angerddol a hynny'n dylanwadu ar eu bywydau, yn tueddu naill ai i fod yn bobl go od ac eithafol neu'n naïf yng ngolwg y byd. Un o ystyron pwyll yw peidio â bod ag agweddau neu syniadau eithafol. Ond y mae'r rhai a feddiannwyd gan yr hyn a elwir gan rai ohonom yn Ysbryd Glân, yn medru ymddwyn fel meddwon neu ynfydion, fel y gwelodd y tystion i ddydd y Pentecost. Ar y llaw arall, mae yna bobl go od, sydd megis wedi meddwi ar grefydd, a'u crefydd hefyd yn ymddangos i lawer ohonom, yn gredinwyr ac anghredinwyr fel ein gilydd, yn orffwyll, neu'n ynfyd.

A sôn am ynfydrwydd, roedd Walford Gealy rhyw dro yn trafod yr ynfytyn yn y salm. Hen gamgymeriad yw methu gwahaniaethu rhwng y sâl eu meddwl, neu'r dirywiedig eu ffyrdd, a'r gwan eu meddwl. Yr olaf ohonynt yw'r gwir ynfydion, yn yr ystyr dechnegol o leiaf, ac nid yn yr ystyr ddirmygus. Yn fy mhrofiad i, ac mae hwnnw'n weddol helaeth yn y maes hwn, prin iawn, iawn yw'r ynfyd sy'n honni nad oes Duw. Mae'r gwan eu meddwl, sydd hefyd fel arfer yn anaeddfed eu cymeriad o safbwynt emosiynol, yn tueddu i gredu yn Nuw, ac mewn daioni a drygioni, er mewn ffordd blentynnaidd neu naïf, mae'n wir.

Maent fel plant, yn medru mynd i mewn i ryw deyrnas nefoedd, gan weld yr holl beth mewn ffordd elfennaidd—nid elfennol.

91

Hwyrach mai dyna'r unig ffordd i fynd i mewn iddi. Ac mae yna bobl sydd heb unrhyw wendid meddwl, yn yr ystyr arferol o leiaf, sydd hefyd yn medru gweld pethau'n elfennaidd fel'na. Mae elfen o'r plentyn yn amlwg mewn pobl fel Waldo Williams, er enghraifft, ac ym mhob bardd ac ym mhob un nad yw byd y dychymyg wedi peidio â bod iddo. Er cyfoethoced ei ddysg a'i ddawn a'i brofiad o fywyd, er cymaint ei allu i amgyffred cymhlethdodau sefyllfaoedd a phobl, eto roedd Waldo'n dal i fedru gweld fel plentyn diniwed, yn amgyffred am y tro cyntaf ac heb gen ar ei lygaid.

Wrth reswm, fe ddywedai llawer mai chwarae plant yn unig yw peth felly, ac nad oes coel i'w roi ar gredoau ynfydion diniwed neu blant tragwyddol. A phwy all wadu eu honiad? Sut mae gwahaniaethu? Sut mae penderfynu ai gwir ai gau yw profiadau crefyddol pobl? Ac os ydynt yn rhai dilys, a ydynt yn brawf o wirionedd yr hyn a gynrychiolir ganddynt? Go brin fod Cristion am ddal nad oes ystyr i'r fath gwestiwn am mai ymddwyn yn ôl ein cyfansoddiad corfforol neu'n magwraeth a wnawn, ac nad oes yr elfen leiaf o ddewis ym mywydau dynion. Os felly, rydym mewn maes a drafodwyd gan Kierkegaard, sef y gorgyffwrdd rhwng ffydd a gorffwylltra. Fe welai ef orffwylltra ar bob llaw wrth i gredadun wneud ei lam hurt o gariad ac o ffydd tuag at ei Greawdwr. Mae'n brofiad sy'n gyffredin i bron bob un ohonom pan syrthiwn mewn cariad, hyd yn oed â meidrolyn arall. Gall llam ar draws affwys fod yn llam dros ddifancoll. Mae pob syrthio yn golygu rhywfaint o golli gafael ar y tir dan eich traed, fel y mae pob profedigaeth. Mae pob llam mewn ffydd yn golygu bod yn ansicr p'run ai cyrraedd at ystyr, at sicrwydd, at Berson teilwng o'n holl fryd sy'n mynd i ddigwydd, ai ynteu syrthio i bydew anobaith neu hunan-dwyll. Llam o ffydd neu orffwylltra; dilyn Mair neu Icarws. Y naill ffordd neu'r llall, ni chysylltir llamu felly, na hyd yn oed syrthio dros eich pen a'ch clustiau mewn cariad, â phobl bwyllog.

Mae Saunders Lewis wedi trafod y ffin hon rhwng ffydd a gorffwylltra mewn dau le yn benodol, gan gydnabod ei ddyled i syniadaeth Kierkegaard, sef yn ei ddrama *Amlyn ac Amig* ac yn y gerdd 'Emmäws'. Dyma eiriau Amlyn, ar ôl iddo gredu neu goelio yn y diwedd i Amig glywed angel:

Rhodio fel un a wêl, a gwybod nos y deillion
Yw bywyd beunyddiol ffydd.

92

Llais, dim ond llais.
Tafod yn dweud peth, fel dyn yn ei bwyll,
Yn ymadrodd â'i gydryw,
Yn parablu brawddegau,
Ac wele, bydd dŵr yn win, neu fara yn gnawd,
Neu ddeuddyn yn uncnawd,
Ar ffrwydriad y geiriau.
O air annewidiol,
O saeth aeth o'r llinyn . . .

A dyna 'Emmäws':

'Ddaw neb o hyd iddo'n awr;
ei hanes 'doedd ond unawr;
graig a llwybr, yn gyfrgoll aeth
Emmäws didramwyaeth.

Ond trig ar gronig ei rawd,
duwsul Pasg y bedysawd,
y ddadl hael a'r gwahodd tlws,
mwyaid bara Emmäws.

Pa wyll draw yn y pellter
sy'n turio'r swnd, hwyr awr sêr,
am dref ger Salem a'i drws,
am heol i Emmäws?

Ai rhith Arab neu Rabbi?
A, mwyfwy och! Ai myfi
yn aros gwawr orig fach
Emmäws nad yw mwyach?

I mi, mae'r bardd yn defnyddio techneg gwrthbwynt i ategu'r
datganiad o ffydd a geir yma. Ond y mae hefyd, wrth reswm, yn
datgan nad peth rhesymol yw credu felly. Yn y gerdd gyntaf mae
ffydd ar y terfyn, neu'r dibyn, â gorffwylltra. Yn yr ail, mae'n
debyg mai ar y terfyn â hunan-dwyll y mae hi.

Ond sôn y mae Saunders Lewis yma am brofiadau eithriadol—
am sefyllfa Amlyn ac Amig fel Abraham ac Isaac gynt, ac am
edrych yn ôl dros yn agos i ddwy fil o flynyddoedd at yr hyn sydd
i fod wedi digwydd ar y ffordd i Emmäws. Nid â phrofiadau
hollol anghyffredin fel y rhain y mae'n rhaid inni ymgodymu bob
dydd wrth ystyried profiadau crefyddol pobl gyffredin. Ac ni

bydd y crediniwr cyffredin yn mynd trwy'r un ingoedd o amheuaeth ag y gwnaeth Saunders Lewis. Os nad yw ffydd byth yn beth hollol resymol, fe all fod yn ffenomen naturiol. Ond mae'r gwyddonwyr a'r empeirwyr yn fanwl iawn eu diffiniad o'r hyn sy'n naturiol. Felly, a chydnabod natur amwys ffydd, fel cariad, os nad ydym am adael i seiciatryddion honni mai arwyddion o dwyll, o hunan-dwyll neu o orffwylledd yw *pob* coel mewn Duw a byd arall, a allwn gynnig rhyw faen prawf o ddilysrwydd profiadau pobl?

Hwyrach fod rhai nad yw'n fawr o bwys ganddynt a ydynt yn ddilys ai peidio; gofynnant a ydynt yn cynnig rhyw gysur i'r dioddefwr. I mi, o leiaf, mae dilysrwydd y profiadau hyn o'r pwys mwyaf, yn enwedig o gofio'r dewis caled, creulon sy'n aml yn ein hwynebu wrth inni ystyried gofyn i rywun wynebu ing neu boen er mwyn person arall, neu er mwyn iddo beidio â chefnu ar gariad Duw. Mae'r cwestiwn a oes gwirionedd gwrthrychol yn yr haeriad fod dyn wedi ei greu a'i achub gan Dduw, gan Berson sydd mewn cariad dros ei ben a'i glustiau ag ef, o bwys tynged-fennol mewn achosion megis arbrofi ar fabanod cyn eu geni, erthylu ac ewthanasia. Os gau ein cred, os ofer ein coelion, pam na chawn erthylu ac arbrofi, a lleddfu poen bywyd? Ac i mi, maen prawf dilysrwydd y profiadau yw'r hyn a wnânt i'w goddrychau, ac i'w perthynas â phobl eraill.

Bu Walford Gealy, hefyd, yn trafod credu ac iaith crefydd, a gwrthgilio. Roedd ambell ymadrodd ganddo'n taro braidd yn od i mi, er yn berthnasol i'r hyn yr wyf yn bustachu i'w drafod yma. Roedd yn sôn fod 'y gwirionedd crefyddol yn wrthrychol' ac yn haeru mai profiad unigolyddol o Dduw a gaiff y credadun: 'Ni all y credadun drosglwyddo ei adnabyddiaeth o Dduw—ei sancteidd-rwydd—i neb arall.' A derbyn pwynt Kierkegaard am agosrwydd ffydd a gorffwylltra, rhan ohono, i'm tyb i, yw'r pwyslais ar fod y profiad o gredu yn un rhwng unigolyn, creadur, a'i Greawdwr. Ni allaf gredu nad oes hefyd elfen deuluol, gymunedol yn ein profiad o Dduw, ac yn y broses o'n hachub. Prin ac eithriadol, gredaf fi, yw'r enghreifftiau o Dduw'n ymwneud yn uniongyrchol ag un o'i greaduriaid. Fy mhwynt i yw mai trwy'n cariadon, ein teuluoedd, ein cyd-ddyn, a chyda hwy ac ynddynt hwy, y mae inni ganfod a phrofi Duw. Adnabod ein gilydd, ffurfio perthynas â'n gilydd, ac yntau'n rhan o bob perthynas, dyna yw bod yn blentyn ac yn frawd i Dduw, ac yn aelod o'i deulu mawr. Hynny, nid rhywbeth gwrthrychol, yw hanfod crefydd i mi, o leiaf. Bod yn rhan o'r Eglwys fawr, fry yn y nef ac ar y llawr; bod yn rhan o gymundeb y saint, nid dim ond pendroni fel y saer doliau yn nrama Gwenlyn Parry a oes giaffar ym mhen arall y lein ffôn.

Dyma ddod â mi at y gair olaf yn nheitl yr ysgrif hon, rhwyll. Dyfynnu o gerddi Waldo yr wyf fi. Crynwr a ddeallai dipyn ar anian George Fox, dybiwn i, oedd Waldo, ac yr oedd ei ymddygiad lawn mor hurt yng ngolwg y byd. Mae ganddo ddwy gerdd sy'n sôn am rwylli yn y llen rhwng ein dau fyd, ond 'Wedi'r Canrifoedd Mudan' sydd gennyf mewn golwg, lle mae'n canu i'r merthyron Pabyddol a fu farw dair canrif yn ôl:

Wedi'r canrifoedd mudan clymaf eu clod.
Un yw craidd cred a gwych adnabod
Eneidiau yn un â'r rhuddin yng ngwreiddyn Bod.

Maent yn un â'r goleuni. Maent uwch fy mhen
Lle'r ymgasgl, trwy'r ehangder, hedd. Pan noso'r wybren
Mae pob un yn rhwyll i'm llygad yn y llen . . .

Mae'n deg nodi i Eirian Davies haeru yn *Barddas* mai 'Maint' a 'llygaid' oedd yn y testun gwreiddiol. Â'r gerdd rhagddi i sôn am bobl go anghyffredin, od a hynod, hurt yng ngolwg y byd heddiw, ac i raddau yn eu dyddiau hwy. A haera Waldo mai trwy adnabod pobl fel y rheini y mae credu, a'u bod yn rhwyll yn y llen rhwng nef a daear.

Nid pobl bwyllog mo'r rhain yn sicr. Byddai llawer yn eu galw'n orffwyll am iddynt gredu hyd at ferthyrdod angau mewn byd na ellir profi ei fodolaeth, er bod rhai'n haeru y gellir cael profiad ohono. Fel'na y mae rhai'n credu mai Gwallter Mechain neu Owain Gwynedd ydyn nhw, er nad oes prawf o'u coel. Ond y mae cynnyrch ymenyddol pobl fel arwyr Waldo, eu hagwedd at bobl eraill, eu harwriaeth dawel, gyson, cysonder eu personoliaeth a'u credoau, oll yn tystio i'w pwyll sylfaenol. O dderbyn hynny, rhaid o leiaf ystyried y posibilrwydd fod eu gweithredoedd a'u cred yn arwyddion o brofiadau goruwchnaturiol, tu hwnt i reswm pur.

Arwyr, merthyron, pendefigion ym myd ffydd, saint; ond ceir elfennau o'r un arwriaeth, o sancteiddrwydd yn y rhan fwyaf o bobl, os nad ym mhawb. Rydym i gyd, yn ein hymwneud â'n gilydd, yn rhwyll yn y llen honno ar rai adegau, dybiwn i.

I mi, y mae cerdd Waldo'n ddatganiad gwych o'r syniad o gymundeb y saint, ac o bwysigrwydd y syniad hwnnw. Datganiad gwych hefyd o'r ffaith mai trwy ein cyd-ddyn yr ydym i ddarganfod Duw fel arfer, ac yn y cyd-destun hwnnw y bydd hi hawsaf inni arfarnu ai cyfiawn ac uniawn, ai ynteu annilys a gwyrdroëdig yw ein perthynas â phobl a'n profiadau o ffenomenau crefyddol nad oes ffordd wyddonol wrthrychol o'u pwyso a'u mesur.

Os yw Gwenallt yn ein hatgoffa mai gwag yw 'gwybod y geiriau heb adnabod y Gair', mae rhybudd yno hefyd y gall hynny fod yn ffurf ar orffwylltra. Mae Waldo, wedyn, yn pwysleisio'r dimensiwn cydweithredol, cymdeithasol, teuluol i'r ffydd. Pwysleisia hefyd mai'r profiadau, y bywydau llachar sy'n llawn o brofiadau o'r byd y tu draw i'r llen, yw'r dystiolaeth sy'n ein galluogi i gredu heb boeni beunydd am ein pwyll, na'n bod yn ein twyllo'n hunain. Y cwmwl tystion yw'r rhai sy'n medru gweld yr hyn y mae'r pererinion yn dal i ymgyrchu tuag ato.

Petaem ni'n fwy bodlon cyfuno'n profiadau o'r byd arall, a'u hychwanegu at rai pobl eraill, yn enwedig y rhai sy'n loyw yn y ffydd, yn lle cyfyngu'r fath brofiadau i bobl mewn celloedd mynachaidd neu wardiau mewn ysbytai meddwl—nid bod y ddau le'n gyfartal, ond petaem ni'n medru cael gafael eto ar yr elfen deuluol a thorfol mewn credu, yna hwyrach y medrem atgyf-nerthu'r holl brofiadau o'r byd ysbrydol ac o Dduw sy'n dod i ran y rhan fwyaf o'r boblogaeth rywbryd neu'i gilydd, a gwneud credu yn y byd arall, a thrio siarad a chymuno â phersonau sydd ar ochr arall y llen, yn beth mwy normal unwaith eto.

* * *

Yn yr ysgrif hon, rwyf wedi trio'n bennaf herio rhagfarn seiciatryddion, sy'n honni bod yn empeirwyr, yn erbyn derbyn profiadau 'crefyddol' fel rhai dilys. Nid wyf yn disgwyl iddynt eu derbyn fel prawf anffaeledig o wirionedd honiadau crefydd, ond yr wyf yn disgwyl iddynt beidio â gwadu hynny fel petaent yn babau bach anffaeledig. Mae barn Pab anffaeledig ynghylch yr hyn sy'n wir a'r hyn sy'n anwir yn cyfrif yn fawr iawn i bobl fel fi, fel y mae eraill yn derbyn arweiniad di-ffael y Beibl. Ond nid yw hynny'n ateb cyffredinol. Nid yn unig y mae seiciatryddion yn aml yn ymagweddu fel petaent yn anffaeledig mewn materion y tu hwnt i'w profiad a'u swyddogaeth, ond y mae cymaint, gormod o bobl yn derbyn eu barn yn ddi-gwestiwn.

Os yw'n rhesymol credu bod profiadau fel clywed neu weld angel, neu deimlo bod Duw'n cyfathrebu â dynion mewn breuddwydion neu oleuni, yn deillio'n sicr o'r person dynol ei hun, y mae'r un mor rhesymol credu y gallant fod yn deillio o berson neu o fod y tu allan i'w goddrych; yr un mor rhesymol a'r un mor afresymol, dybiwn i. Mae'n bosibl bod ffenomenau crefyddol o'r fath yn ddrychiolaethau neu ledrithiau gweledol neu glywadwy neu'n gamdybiaethau, eu bod yn dafluniadau neu'n daflosodiadau o ddrychfeddyliau neu o ddymuniadau rhywun. Ond y mae'n bosibl yr un pryd mai gweld go iawn a wneir mewn ambell weledigaeth, mai gweld a chlywed rhywun neu rywbeth sydd yn bod y tu allan i'r hunan a ddigwyddodd i bobl fel Paul, neu Saul yn hytrach ar y pryd. Ond prin iawn, dybiwn i, yw profiad dilys o'r fath. Ac nid oes modd profi eu dilysrwydd. Ond y mae profiadau crefyddol mwy cyffredinol, megis yr ymdeimlad o fod eisiau maddeuant, fod yna Dduw'n bodoli a daioni a drygioni, a bod byd arall, perffaith, cyfiawn a llawen yn bod; mae'r rheini'n ddigon cyffredin, a'r un mor bwysig i'n profiad cyffredinol ni â'r rhai gwyrthiol a dramatig.

Mae profiadau o'r fath mor gyffredin, yn achos pobl o bob cefndir, o bob gradd o ddysg a dawn a diwylliant, o bob cenedl a llwyth a hil, nes ei gwneud hi'n haws derbyn y gallant fod yn brofiadau dilys. Ychwaneger atynt brofiadau arbenigol y meudwyon a'r myneich a'r lleianod caeëdig, a phrofiadau'r trallodus yn aml, sydd oll yn tystio i fodolaeth y dimensiwn ysbrydol hwn, ac mi dybiaf fod digon o ddeunydd i orfodi'r gwatwarwyr, beth bynnag am yr amheuwyr cyffredin, i ystyried a cheisio gwrth-ddweud y dystiolaeth.

Nid yw dweud bod gwanc mewn dyn am ryw Dduw neu dduw, ac am ymateb teilwng i'w ofid bydol, yn gwadu dilysrwydd profiadau crefyddol fel y mae rhai'n honni, yn enwedig ym myd seicoleg a seiciatraeth. Yn hytrach, mae'n cyd-fynd yn dda â'r syniad mai creaduriaid ydym ni wedi'n llunio'n wreiddiol ar ddelw ein creawdwr, ac wedi'n stofi i fywyd uwch na'r hen fuchedd gymysglyd hon.

Y mae dynion, wrth ymbwyllo, yn gorfod cydnabod bod arwyddion ym mhob man o'r posibilrwydd o fodolaeth bywyd arall ar wahân i'r un daearol pur, a bod y llen sydd rhwng y ddau fyd yn aml yn dryloyw ac yn rhwyllog:

Cans pwy yn ei iawn bwyll,
Heb amgen gannwyll, [sef cannwyll y ffydd]
(O Dad y goleuadau)
Fyth a'th ganfyddai Di yn chwarae mig â'th bau
Yn rhith
Y gwenith,
Ryw fymryn distadl yn y llanastr oll?

Nid rhywbeth a roddir inni fel ffafr yn unig yw cannwyll y ffydd, does bosib. Onid yw hi ar gael o'n cwmpas ym mhrofiadau llachar a gweithredoedd gwiw ein cymdogion yn y ffydd? Yno ar gael i gynnau neu i ailgynnau lamp ein ffydd ninnau, fel sy'n digwydd mewn eglwys Babyddol ar wylnos y Pasg, pan gynheuir cannwyll fawr y Pasg y tu allan i'r eglwys â darnau o gallestr a ffagl, ac yna deuir â hi i gefn yr eglwys a chynheuir cannwyll pob un yn y gynulleidfa o gannwyll ei gymydog, nes ymledu fel môr o oleuni uwchben y bobl.

Rwyf yn siŵr bod modd inni agor ein llygaid a'n calonnau a'n meddyliau i dderbyn, nid yn unig brofiadau arbenigol arwyr fel y saint yng ngherdd Waldo, a Waldo ei hun, ond hefyd y daioni sydd ym mhob congl o'n byd ni ac ym mhob math o brofiadau dynol.

(Anerchiad i gynhadledd ar y cyd o Gyfadrannau Diwinyddol ac Athronyddol Urdd Graddedigion y Brifysgol)

13 Pabyddion a Realiti

Un o bynciau mwyaf llosg ein dyddiau ni ydy atal cenhedlu, neu reoli maint teuluoedd. Cyhuddir yr Eglwys Babyddol o fod yn wrth-wyddonol, yn ddi-hid o drueni tlodion a phobl newynog, o anwybyddu problem anferth gorboblogi. Y mae'n wir fod yr Eglwys yn dal i wahardd defnyddio dulliau 'artiffisial' i atal cenhedlu, er yn caniatáu dulliau 'naturiol', sef dulliau sy'n dibynnu ar rythmau naturiol, cynhenid y corff benywaidd.

Does dim dwywaith nad ydy hyn yn achos gofid ac ymrafael a dryswch i lu o Babyddion. Pan gyhoeddodd y Pab Paul VI ei ddatganiad, *Humanae Vitae*, yn 1968, yn cadarnhau'r gwaharddiad, roedd yn siom enfawr i luoedd. Rhan o'r rheswm am hynny oedd bod y mwyafrif ar y comisiwn a benododd y Pab i'w gynghori wedi bod o blaid dileu'r gwaharddiad, ac roedd disgwyliadau mawr ar ôl Ail Gyngor y Fatican y byddai y rhan fwyaf o hen reolau caeth yr Eglwys yn cael eu llacio, onid eu dileu. Dyna oedd wedi digwydd gyda'r gwaharddiad ar fwyta cig ar ddydd Gwener, er enghraifft. Roedd y cyfnod yn un o ryddfreinio ymddygiad dynol mewn nifer o ffyrdd hefyd, yn enwedig mewn materion rhywiol. Ond, a bod yn deg, mae cenhedlu ac atal cenhedlu yn faterion llawer pwysicach a mwy dyrys nag arbedigaeth ar ddydd Gwener.

Rhaid dweud, hefyd, nad ydy *Humanae Vitae* yn ddogfen sy'n honni bod yn anffaeledig, er bod pwysau mawr ar ei chywirdeb a'i hawdurdod o du'r Babaeth. Rhaid cofio, wrth gwrs, inni gael datganiadau tra ffaeledig o du honno lawer tro dros y canrifoedd, yn condemnio Copernicus neu Galileo, yn gwahardd usuriaeth, yn caniatáu caethwasiaeth, yn condemnio pobl am fynnu dilyn eu cydwybod, er iddyn nhw wneud hynny ar ôl hir ystyried, a bod yn fodlon aberthu eu bywydau dros eu cred.

Do, fe wnaeth y Pabau a'r Babaeth gamgymeriadau a chamwri droeon, a diau y datblygir sawl athrawiaeth ac arfer disgyblaethol dros y canrifoedd sydd i ddod; gallaf ddirnad y bydd troi at drafod ordeinio merched, cael offeiriaid priod a phynciau tebyg. Disgwyliad llawer ydy y bydd yna lacio graddol ar y rheol am atal cenhedlu 'artiffisial', hefyd.

Y mae'r sefyllfa wedi newid llawer eisoes: mae'r Eglwys yn annog rhieni i fod yn gyfrifol ynghylch nifer y plant y medran nhw eu magu'n deilwng; yn cydnabod gwerth rhywioldeb mewn perthynas gariadus briod, hyd yn oed pan na fo unrhyw bosibilrwydd o genhedlu; wedi diosg y syniad mai 'moddion ar gyfer ateb problem chwant' ydy caniatáu cyfathrach rywiol rhwng gwŷr a gwragedd priod, yn ogystal â bod yn foddion i gynhyrchu plant. Mae sylwadau'r Pab Ioan Paul II ar rywioldeb merched (uchod) yn dangos hyn yn eglur. Ond mae'n anodd osgoi'r syniad fod agwedd y Babaeth, yn enwedig y *Curia* (llywodraeth yr Eglwys yn y Fatican, ac sydd bron yn gyfan gwbl wrywaidd) yn dal yn amheus o ddatblygiadau gwyddonol a thechnolegol.

Mae'n anodd ofnadwy i unrhyw un cyffredin a fagwyd yn yr oes wyddonol sydd ohoni ddirnad y gwahaniaeth rhwng defnyddio condom neu bilsen er mwyn atal cenhedlu a defnyddio cyfnod anffrwythlon—'am fod hwnnw'n agored i fod yn ffrwythlon'! A hynny pan fo'n caniatâd i ddefnyddio'r cyfnod yma yn dibynnu ar ddatblygiadau gwyddonol sy'n medru pennu pryd y mae'r cyfnod anffrwythlon.

A bod yn deg i ochr arall y ddadl, y mae dulliau 'naturiol' yn anelu at fod yn fwy dynol ac urddasol, a llai artiffisial. Ond mae llawer o'r hyn sydd raid wrtho i bennu'r cyfnod diogel i garu heb orfod planta yn dra artiffisial. Mae'n llai peryglus i iechyd y ferch yn uniongyrchol, o safbwynt sgil-effeithiau'r bilsen neu'r teclyn, ond nid o safbwynt y peryglon a ddaw yn sgil gor-blanta. Ac mae yna broblem enfawr i ferched nad ydy cylchdro eu mislif ddim yn rheolaidd, o bell ffordd, yn aml. Yn ddiddorol, gall Pabyddes ddefnyddio'r 'bilsen' yn gyfreithlon, o safbwynt yr Eglwys, os mai i reoleiddio'r mislif y gwna hi hynny!

Ar y llaw arall, yn enwedig wrth ystyried gorboblogi, mae dulliau fel rhai Billings,* a ddefnyddir yn helaeth yn Awstralia a'r Trydydd Byd, yn eithaf effeithiol, yn enwedig o ran gostwng graddfa cenhedlu poblogaeth gyfan, yn hytrach na theulu unigol. Mae'n ddull sy'n rhad ofnadwy, a dydy hynny ddim wrth fodd cwmnïau sy'n awyddus i farchnata'r bilsen neu offer atal

---

*Dull naturiol o reoli ffrwythlonder a gafodd sêl bendith Cymdeithas Iechyd y Byd, ac a ddefnyddir yn helaeth yn y Trydydd Byd. Dibynna ar y ffaith fod plwg o fwcws yn cael ei ryddhau o geg y groth adeg bwrw'r wy, ac felly fe ellir pennu'r cyfnod o ffrwythlonder heb ymyrraeth unrhyw offer meddygol a phethau o'r fath.

cenhedlu eraill. Mae'n wir, yn ogystal, fod codi safon byw pobl yn lleihau eu planta, a bod yr Eglwys Babyddol yn cefnogi galwad adroddiadau fel un Heath-Brandt am drosglwyddo adnoddau o Ogledd goludog ein byd i'r De tlawd.

Ond erys y broblem bersonol o awydd pâr priod cariadus i fynegi eu cariad mewn modd corfforol, cnawdol yn ogystal ag ysbrydol, heb orfod ofni planta bob tro. Cael troi ein cyrff yn foddion gras ynddyn nhw'u hunain, nid fel cenhedlwyr. Mae estyniad bywyd wedi creu cyfnod hir i lawer ohonom ni yn y Gorllewin, ar ôl y 'newid bywyd', pan allwn ni wneud hynny. Ar y llaw arall, mae gofynion addysg a rhyddfreinio merched wedi creu sefyllfa lle mae llawer pâr ifanc yn awyddus i beidio â dechrau planta'n rhy gynnar, neu i beidio â gorblanta o gofio bod cyfnod hir o ffrwythlonder o'u blaen.

Yr hyn sy'n gadarnhaol ac yn ddeniadol, dybiaf i, yn natganiadau'r Pabau diweddar ar y mater ydy eu pwyslais cynyddol ar urddas dichonadwy pob gweithred ddynol, gan gynnwys rhai rhywiol, ac ar hawliau merched.

Byddai'n wych pe bai modd rheoli ffrwythlonder merch heb ddefnyddio na chyffur na theclyn, er na fynnwn i weld didoli bywyd rhywiol yn ei gyfanrwydd oddi wrth blanta a magu teulu. Does bosib na fedr gwyddoniaeth, o gael yr adnoddau, ddatblygu dull o bennu'n bendant pan yw merch yn ffrwythlon neu beidio, a hynny'n rhyddhau pobl rhag defnyddio unrhyw beth artiffisial rhyngddyn nhw wrth ymroi i garu'n gorfforol. Ond, hyd yn oed wedyn wrth gwrs, byddai raid wrth weithred o ymatal ar brydiau.

Y tu ôl i hyn i gyd y mae dadl ynghylch gallu dyn a dynes i fod yn ben ar eu greddfau, i fedru ymatal. Nid rhag mynegi'n gyson eu cariad a'u hangen am ymgeleddu ei gilydd, ond ymatal rhywfaint o bryd i'w gilydd er mwyn dysgu parchu'r naill a'r llall, a thrwy hynny eu hatgoffa'u hunain o hyd ac o hyd nad dim ond offeryn i fodloni chwant cnawdol yr hunan ydy'r corff a'r greddfau dynol. Mae gwyddoniaeth wedi dysgu peth wmbredd inni am y natur ddynol, yn enwedig ein natur gorfforol, drwy gasglu ystadegau, drwy arbrofi a cheisio fformwlâu i gysoni ac esbonio'r ffeithiau a ddarganfyddir. Felly y dysgwyd cymaint am y corff dynol a'i chwantau a'i reddfau. Felly, hefyd, y deallwyd fod anghysonderau yn bod: fod dynion a merched yn methu gwneud, bob amser, yr hyn a fynnant; fod ein natur yn ffaeledig; nad ydy boddio chwantau drwy'r amser o anghenraid yn help i greu person cyflawn. Nid yw darparu peiriannau slot i gyfrannu pilsen atal cenhedlu (a philsen at glefydau gwenerol, lle bo modd gwella'r rheini) y ffordd orau i urddasoli'r rhodd fendigedig o rywioldeb sy'n rhan annatod o'n gwead.

Mae yna ffordd arall, anghofiedig, o ddirnad y natur ddynol, deall sut yr ydym ni'n gweithio, megis. Deall pa ddefnydd a roed ynom a pha ddiben sydd inni. Y ffordd honno ydy mynd yn ffyddiog at y gwneuthurwr. Mae Duw wedi datgelu'r hanfodion ynghylch pa beth ydy dyn, y creadur sydd ag iddo gnawd ac esgyrn a greddfau fel pob anifail, ond a grewyd yr un pryd 'ychydig yn is na'r angylion', nid ychydig yn uwch na'r llaid.

O gael cymorth gras, y mae dyn a dynes yn medru dyrchafu eu natur, eu greddfau a'u chwantau cnawdol i fod yn adlewyrchiad o'r dwyfol. Mae'n wir fod llawer o'r hyn a glywir o'r Fatican am rywioldeb yn swnio fel apêl i ddilyn 'llwybr cwbl groes i natur', llwybr gwaharddiad ac ataliad. Ond y mae yna hefyd sialens i rywbeth gwych, aruchel a bendigedig a ddichon, fel y dywedodd Pantycelyn, droi ei nwydau i fod 'fel cantorion, oll i chware'u bysedd cun ar y delyn sydd yn seinio enw Iesu mawr ei Hun.'

(Seiliwyd ar erthygl yn *Y Faner*)

14 Piau'i gorff y dyddiau hyn?

Fe'n hanogir y dyddiau hyn i feddwl amdanom ein hunain fel unigolion, rhag cael ein sarnu neu'n malu neu'n hystumio gan bwysau cyfundrefnol, cydymffurfiol yr oes. Fe'n hanogir hefyd, gan bobol megis Margaret Thatcher yn ei Hepistol at y Caledoniaid, er enghraifft, i gofio mai unigolion ydym ni am nad oes y fath beth â chymuned na chymdeithas.

Dydw i ddim yn rhy hapus â'r syniad o unigolyn fel delfryd. Gwell gen i sôn am berson ac am bobl. Rydyn ni'n rhywbeth llawer amgenach na dannedd cocos diwydiant neu gorfforaeth neu'n rhyw sglodion silicon mewn cyfrifiadur enfawr.

Er bod yna gymaint mwy o bobl wedi bod ar y ddaear yma na holl rif y tywod mân, yn greadigaethau digon cyffelyb, eto mae pob un bach yn greadigaeth unigryw yr un pryd. Yn ôl y Gwyddoniadur, ystyr *person* ydy 'unrhyw fod deallgar, rhydd a chyfrifol.' Hyn, meddir, er mwyn 'ei wahaniaethu oddi wrth *beth*.' Ond onid hanfod person ydy ei allu i'w adnabod ei hunan wrth ymwneud â phobl eraill? Mater o berthyn ac o berthynas ydy o, yntê? Heb berthynas a pherthnasau, onid ydy unigolyn o ddyn neu ddynes mor amhersonol ac mor unig â'r greadigaeth ddi-dras, ddi-deulu, ddi-genedl honno, Blodeuwedd? Ac onid yw mor gaeth, hefyd, i fympwyon ei natur ac i Natur ei hun, yn ysglyfaeth i nwydau? Yn sicr ddigon, gall priodas a theulu, bro a chenedl, fynd yn gaethiwus ar brydiau, ond cofier yr eithaf arall yr un pryd.

Mae meddyliau fel yna'n cyniwair drwy fy meddwl yn aml yn y blynyddoedd diwethaf hyn wrth i'r Senedd drafod materion fel erthylu, trawsblannu ac ewthanasia, ac arbrofi ar erthylod a ffrwythlonder pobl. Ac y cyfan, ychydig o ddiddordeb a ddangoswyd mewn materion o'r fath gan ein Haelodau Seneddol nac ychwaith gan weinidogion yr Efengyl, gydag eithriadau gwiw fel Dr Tudur Jones. Yn wir, prin fu'r gefnogaeth o du seneddwyr Cymru i gymalau deddfol yn caniatáu i nyrsys a meddygon gael ymneilltuo o'r angen i gymryd rhan mewn gweithredoedd fel erthylu os ydy hynny yn erbyn eu cydwybod. Mae'n ymddangos fod rhwygo bod dynol, dibynnol, diniwed o groth ei fam yn medru ymddangos yn weithred radical, ond dydy gwrthwynebu cydwybodol ddim. Ble'r aeth yr hen gydwybod Anghydffurfiol ymysg ein seneddwyr, tybed? I'r un lle â'r *Amen*, debyg gen i.

Wrth gwrs, mae yna falu awyr a thwyll-resymu o'r ddeutu yn yr holl ddadleuon hyn, ac yn amlach na pheidio yr un cymhellion dyngarol sydd gan y naill garfan a'r llall. Ym mater erthylu, mae hyn yn arbennig o wir. Mae yna ystadegau ar gael i gefnogi'r rhai sy'n honni bod erthylu'n niweidio'r fam, yn ogystal â'r rhai sydd yn erbyn y gosodiad hwnnw. Mae llawer o bobl oedd, fel John Redwood, yn ymosod ar riant dibriod a di-bartner, hefyd yn honni bod yn erbyn erthylu, a llu o rai oedd gynt yn dilorni'r fam ddibriod ac yn ei thrin fel esgymun, bellach yn gwneud popeth i'w helpu rhag ofn iddi fynnu cael erthyliad.

Rhaid i bawb osgoi rhamantu ynghylch fod croeso i bob plentyn gan ei fam neu'i rieni. Mae beichiogrwydd yn medru bod yn straen a gofid enfawr, yn medru dryllio neu ddymchwel hapusrwydd teulu ambell waith, a phlant dan anfantais yn medru bod yn straen erchyll a chyson.

Sut mae helpu dynes feichiog nad oes arni eisiau cael y plentyn sydd eisoes yn ei chroth? Mewn llu o achosion, erbyn i erthylu fod yn bosibilrwydd, mae'r rhith yn y groth yn amlwg yn fabi, yn fod dynol, a does dim ffordd hawdd i'r fam gael ymwared ag ef heb alar ac euogrwydd. Ond dydy hynny ddim yn wir yn yr wythnosau cynnar.

Ni all unrhyw un (yn sicr nid unrhyw ddyn, hyd yn oed y rhai sy'n ymwneud â merched yn y fath argyfwng) fyth, fyth ddirnad ing ac unigedd merch yn y fath gyflwr. Dydy hi ddim eisiau'r plentyn am ei bod yn ddibriod, heb gefnogaeth teulu, gormod o blant ganddi eisoes, neu'n gwybod fod nam sylweddol ar y babi. Gorfod ymwneud â merched yn y fath gyfyng-gyngor a arweiniodd lawer un i gefnogi erthylu.

Mae'n wir fod yna nifer sylweddol o feddygon a nyrsys a gweinyddwyr sydd wedi elwa'n sylweddol iawn o ing merched fel yna, a merched hunanol sydd heb unrhyw reswm call dros fod eisiau cael gwared o'u plentyn. Mae'n wir hefyd fod llu o bobl wedi defnyddio erthylu fel dull o atal cenhedlu, er bod hynny'n anghyfreithlon. Ar y llaw arall, fe ecsploitiwyd cyflwr truenus mamau beichiog, druain, er mwyn cystwyo safonau moesol yr oes.

Yn bersonol, mae'n gas gen i'r syniad o erthylu, a'r holl brosesau a ddefnyddir. Ond mae Pabyddion yn caniatáu yr hyn y mae pobl eraill yn ei alw'n erthylu. Rydym ni'n hollol fodlon i fam sydd â chanser yn ei chroth, dyweder, neu'n gwaedu o feichiogrwydd y tu allan i'r groth, gael triniaeth er i hynny olygu colli'r plentyn. Y bwriad ydy achub bywyd y fam, nid lladd y plentyn. Mae hyn'na'n wahaniaethu sy'n destun gwawd i rai pobl: y syniad o brif bwrpas a sgil-effaith, fel sy'n codi wrth drafod ewthanasia.

Na ladd, meddir. Ond mae'r Eglwys drwy'r oesoedd wedi cyfiawnhau lladd er mwyn amddiffyn bywyd y person neu'i deulu. A dydy plentyn, rhith yn y groth, ddim bob amser yn ddiniwed, o safbwynt bywyd y fam. Er ei bod am inni amddiffyn bywyd y plentyn yn ogystal â'r fam, mae unrhyw driniaeth sy'n angenrheidiol er mwyn amddiffyn bywyd y fam yn derbyn sêl bendith yr Eglwys Babyddol. Mae'n deg cydnabod mai prin ydy sefyllfaoedd o'r fath, yn enwedig yng ngwledydd y Byd Cyntaf.

Un o'r pethau gorau a ddeilliodd o'r frwydr yn erbyn erthylu, gan yr eglwysi, a'r Iddewon yn bennaf, ydy'r llochesau, y cartrefi, a'r cynlluniau Mabwysiadu Mam Feichiog sy'n cynnig cymorth a chefn iddi nes iddi esgor ar ei phlentyn. Maen nhw naill ai'n cynnig ffordd o fyw a'i galluoga i gadw'r plentyn, os dyna'i dymuniad, neu ynteu'n trefnu iddo gael ei fabwysiadu.

Ond, i ddiweddu, mae'r holl sôn am hawl absoliwt rhywun dros ei gorff ei hun, i'w lurgunio neu'i arteithio, i ddefnyddio plant wedi eu herthylu, neu wedi'u colli'n naturiol er mwyn rhoi wyau ar gyfer ffrwythloni rhywun arall, yn arswyd i mi. Does dim o'i le mewn arbrofi ar gorff marw, dim o'i le ar geisio dulliau o ymyrryd â phlentyn yn y groth i fedru cywiro nam neu wella afiechyd cynhenid, ond does gennym ni mo'r hawl llwyr ar ein cyrff.

Mewn cariad, mewn teulu, mewn cymuned, oni ddylid ein hatgoffa, bob un ohonon ni, fod moesoldeb i reoli'n perthynas ni â'n gilydd? Dyna ydy ystyr moesoldeb. A hynny sy'n ein hatal rhag byw yn ôl rheolau'r anifail: trechaf treisied, gwannaf gwaedded. Ein hatgoffa, hefyd, fod gan ein cariad, ein perthnasau, ein teulu, hawl arnom ni. Fel sosialydd a dyneiddiwr, rydw i'n credu hyn. Fel Cristion, rydw i hefyd yn cydnabod hawl Duw arnom ni hefyd.

Na, nid *hawl*, chwaith, ond mater o gyd-ddibyniaeth ydy o: cwlwm câr a chyfathrach a chenedl. A chwlwm felly a ddylai'n clymu ni, bob un ohonom, wrth bob plentyn yn y groth, ac wedyn. Fe ddylem gofio fod pob mam yn cyflawni swyddogaeth wyrthiol, ryfeddol ac amhrisiadwy ar ran y ddynoliaeth oll.

15   Ewthanasia neu Bona Mors

Mae'r ddau derm yma i fod i olygu'r un peth, sef marwolaeth dda neu esmwyth, ond fel y'u defnyddir nhw erbyn hyn, mae byd o wahaniaeth rhyngddyn nhw: y byd ysbrydol.

Dim ond sadyddion sy'n awyddus i bobl ddioddef wrth farw, fel ar unrhyw adeg arall. Wrth gwrs nad oes modd gochel poen drwy'r amser, a gellir defnyddio poen i buro'r enaid ac i hybu twf y bersonoliaeth. Ond, yn fy marn i o leiaf, mae rhywbeth o'i le, rhywbeth gwrth-ysbrydol, gwrth-ddynol mewn unrhyw un sy'n deisyfu poen er ei fwyn ei hun.

Wrth ei natur, mae angau'n aml yn cyrraedd yn sgil poen o ryw fath, ond nid bob amser. Mae niferoedd dirifedi sy'n cael marwolaeth dawel, esmwyth heb ddim ymyrraeth, ond mae angau yn aml iawn yn medru bod yn anodd. Hyd yn oed wedyn, mae yna luoedd o nyrsys a meddygon, ac aelodau o deuluoedd i'r sawl sy'n marw, wedi llwyddo i wneud marwolaeth, hyd yn oed mewn plant neu bobl gymharol ifanc, neu bobl yn dioddef o afiechydon erchyll, yn rhywbeth urddasol ac ystyrlon. Yn yr hospisiau sydd wedi eu codi yma a thraw, fel un Tŷ Olwen yng Ngorllewin Morgannwg, ac mewn clinigau fel yr un Lleddfu Poen ym Mangor, mae'r staff wedi magu medrusrwydd rhyfeddol i esmwytháu cyflwr cleifion dioddefus. Erbyn hyn, o gael y gofal priodol, prin iawn ydy'r achosion lle na ellir lleddfu poen y claf yn sylweddol, onid ei atal yn llwyr.

Problem arall ydy lleddfu'r gofid a geir mor aml, ond mae staff mannau fel Tŷ Olwen wedi dysgu gwneud hynny hefyd, a phrif elfen yr ymateb angenrheidiol ydy sicrhau nad ydy'r claf yn unig; fod ganddo deulu neu gyfeillion yn gefn iddo, sy'n gwerthfawrogi gwerth y bywyd sy'n dirwyn i ben.

I'r Cristion, mae dimensiwn arallfydol y tu hwnt i'r byd yma, i bob bywyd, ond mae hyd yn oed saint amlwg fel y Fam Teresa yn glynu wrth fywyd y byd hwn yn fwy cyndyn nag ambell anffyddiwr sy'n credu mewn diweddu bywyd dynol pan fo'n 'ddi-fudd', neu'n 'ormod o boen'. Y gwahaniaeth rhwng y ddwy garfan ydy hyn: nid nad oes le i groesawu angau pan fo henaint, dioddefaint, llesgedd, neu anabledd dybryd wedi mynd y tu hwnt o feichus, ond bod y Cristion yn gwahardd unrhyw beth sy'n

107

fwriadol ddiweddu bywyd. Nid yr un peth ydy atal triniaeth ag ymyrryd i ladd.

Mewn nifer o achosion, mae meddygon yn gytûn nad oes unrhyw obaith adfer y claf i unrhyw fath o fywyd ystyrlon, sef bywyd ymwybodol lle gall yr enaid fyw'n ysbrydol a thyfu mewn perthynas bellach â Duw ar y ddaear yma. Er hynny, mae'r Eglwys Babyddol yn mynnu bod dyletswydd ym mhob achos inni weini'r trugareddau arferol o gynnig maeth a diod, ymgeleddu'r corff ac atal poen orau y gellir. Ond does dim galw ar i neb weithredu mesurau 'arwrol' neu anarferol i gadw bywyd pob un ar fynd.

Lle digwydd cynnal bywyd am gyfnod maith heb obaith adferiad ar anadlydd, a bwydo drwy ddiferydd ac ysgarthu'r corff yn artiffisial (efallai mewn pabell ocsigen a chyda chymorth gwrth-fiotigau) prin fod hynny'n angenrheidiol nac yn unol ag urddas dyn a'i dynged oruwch-naturiol. Gall niwmonia ac afiechydon eraill fod yn foddion gweini trugaredd Duw. Cofier geiriau Arthur Hugh Clough, a ddyfynnwyd i mi gyntaf gan Glyn Penrhyn Jones, ac sy'n crynhoi'r hen etheg feddygol gyffredinol, oesol mor wych:

Thou shalt not kill, but need'st not strive officiously to keep alive.

Rhaid cadw'r cydbwysedd rhwng yr angen i gydnabod gwedd ddwyfol-ddynol, 'ychydig yn is na'r angylion' pob corffyn musgrell, anffurfiedig, trafferthus, costus, (anghynhyrchiol yn ôl y bobl sy'n credu mewn trefn) a'r angen i gydnabod mai tynged naturiol pobun ar yr hen ddaear yma ydy marw.

Ecce Homo! meddwn wrth hyd yn oed y gwaelaf ei wedd, y mwyaf maluriedig neu afluniaidd ei gorff, y mwyaf dryslyd ei ymennydd, y mwyaf cïaidd o gas ei gymeriad, fel y baich yr ymgymerodd Crist ag o, '. . . dan chwip a than ddrain,/A'i hoelio'n sach o esgyrn tu allan i'r dref/Ar bolyn fel bwgan brain.'

Yr un pryd, er hynny, rhaid cofio gwaith mor ddieflig o galed yn aml ydy ymgodymu â phobl yn y fath gyflwr. Mae eisiau gras gyda nhw. Mae digon ohonom ni wedi teimlo fel rhoi diwedd ar hen wreigan ffwndrus oedd megis 'Tâp Olaf Krapp' yn nrama Beckett, neu ar druan gorweddiog yn ei wlych a'i faw, sy'n hollol anniolchgar am bob help llaw. A phwy ohonom na châi ei demtio i helpu cyfaill neu berthynas mewn poen arteithiol i ddianc o'i burdan? Yn wir, pwy ohonon ni a gondemniai unrhyw un am ddewis dianc o boen neu ofid annioddefol? Ond ai dyna'r ateb gorau, yn enwedig pan fo modd lleddfu'r boen a'r gofid i raddau helaeth iawn erbyn hyn?

Mae pobl yn medru marw gydag urddas a hyd yn oed yn dod at eu coed yn ysbrydol wrth wneud hynny; yn medru crynhoi holl adnoddau eu personoliaeth ar gyfer ymadael â'r fuchedd hon yn dda. Yn enwedig felly, os ceir cymorth câr a chyfathrach: *Bona Mors*!

Mae gan berson sydd o gwmpas ei bethau hawl i wrthod cyffuriau a thriniaethau, wrth gwrs, hyd yn oed rhai i atal poen. Ond does bosib nad oes ganddo hefyd yr hawl i ddisgwyl i gymdeithas, yn ogystal â châr a chyfathrach, drefnu adnoddau digonol ar gyfer marwolaeth dda, fel ar gyfer genedigaeth a thrin afiechydon a damweiniau. Ers dyddiau'r Groegiaid gynt, nid cadw pobl yn fyw fu nod meddygaeth, ond esmwytho geni, byw a marw. Dylid cofio hefyd, beth bynnag sy'n cael ei ddweud gan bleidwyr ewthanasia bwriadus, nad cyflwr y rhai a fydd yn marw mewn poen ingol fyddai'n brif destun sylw'r awdurdodau os cyfreithlonnid ewthanasia fel yna, ond yr hirglaf sydd mor gostus i'w gynnal a'i ymgeleddu. Ac eto, os ewch chi at nyrsys sy'n gofalu am y trueiniaid hynny mewn cartrefi ac ysbytai o bob math, yr henoed anystywallt, y rhai â nam meddyliol dybryd, ac efallai rhai corfforol yn ogystal, y rhai a anafwyd yn ddirfawr mewn damweiniau ac sydd bellach yn anymwybodol yn barhaol, yn amlach na pheidio dydy'r bobl hynny ddim o blaid ewthanasia.

Weithiau maen nhw'n rhy agos at y trueiniaid, ac yn eu trin fel estyniad ohonyn nhw'u hunain, fel y gwna rhieni â'u plant weithiau. Ambell waith mae'n rhaid i feddyg neu swyddog nyrsio uwch neu gaplan eu cynorthwyo i weld nad ydy helpu claf i ddal ati i lusgo byw, yn anymwybodol ac ar beiriant, gan orfod cael pobl i osod ac ail-osod diferydd yn ei wythiennau ac i'w ysgarthu'n fecanyddol, yn deg â'r claf, nac â'i urddas fel person dynol, heb sôn am fod yn greadur a gerir gan ei Greawdwr.

Ond mae gwneud hynny'n anodd, fel mae perswadio rhieni neu blant nad ydy hi'n deg rhoi mwy o wrth-fiotig neu gyffur arall i'w hanwyliaid i'w cadw'n dechnegol fyw. Ond os penderfynir ar hynny, a chael caniatâd y teulu neu'r claf, rhaid i'r meddyg fod yn fodlon cynnal pawb yn emosiynol, gan gynnwys y nyrsys neu ofalwyr, drwy gydol cyfnod y farwolaeth ac wedyn. Mae'n debyg y byddai hi'n haws bodloni ar ganiatáu i rywun, druan, roi chwistrelliad o gyffur llethol i'r claf, a rhyddhau pawb o'u gofid.

Yn hyn i gyd, mi dybiaf i mai agwedd arall ar argyfwng gwacter ystyr sydd yma. Y meddylfryd sy'n disgwyl gormod gan y byd hwn, ac yn gwrthod neu'n methu â chydnabod fod salwch, heb sôn am angau, yn rhan anochel o'n hetifeddiaeth ffaeledig. Onid yw'n rhywbeth y mae'n bosib inni ymdopi ag o yn ysbryd cariad? Yn wir, onid wrth ymwneud â ffaeleddau'n gilydd y daw rhai o elfennau mwyaf aruchel ein natur ddynol i'r amlwg, yn gymwynasgarwch a thosturi?

Dyna ni'n ôl yn y dechrau. Ai trugaredd ynteu cabledd ydy rhoi terfyn bwriadol ar einioes sy'n fwrn ar bawb, yn hytrach na bod yn fodlon ymroi ac ymostwng i'r eithaf—ie, hyd at angau'r Groes—er mwyn rhoi ystyr iddo, a'i atgyfodi i urddas dynol, onid yn wir i fywyd cyflawn, tragwyddol?

16   Plant bach drwg

Dydw i ddim yn ddigon o Galfin i goelio, gyda'r *Rhodd Mam*, mai dim ond dau fath o blant sydd yna: plant da a phlant drwg. Dydw i ddim, chwaith, yn ddigon o ffŵl i feddwl nad oes yna'r fath beth â da a drwg, ac mai salwch neu effaith esgeulustod rhieni neu ysgol, neu gymdeithas yn gyffredinol, ydy pob camwedd neu drosedd gan blant a phobl ifanc, yn fwy na chan oedolion.

Mae yna'r fath beth â drygioni a phechod, fel y gwelsom ni yn y blynyddoedd diwethaf hyn, o Belfast i Bosnia, o India i strydoedd Lerpwl; achosion dirifedi o bechu yn erbyn ein gilydd, yn ogystal ag yn erbyn Duw. Mae'n bwysig inni gofio, er hynny, fod salwch yn medru effeithio ar ymddygiad pob un ohonom ni, fel y mae cefndir a magwraeth hefyd yn medru bod yn llyffethair ar ein hewyllys, ac yn ddryswch yn ein golygon. Hysbys y dengys dyn o ba radd y bo'i fagwraeth yn ogystal â'i wreiddiau etifeddol. Mae yna wendidau, yn ogystal â rhinweddau, sy'n gynhenid inni. Mae o leiaf rywfaint o natur yr hwch yn y porchell.

Ond i fynd yn ôl at y drwg a'r da. Nid gwadu bodolaeth y rheini y mae rhywun wrth sôn am gefndir a gwreiddiau, ond mynnu bod y da a'r drwg yn cyd-fyw mewn cymysgedd sy'n amrywio o eiliad i eiliad ym mhob copa walltog yn ein plith. Ac yn ein plentyndod, yn arbennig ein llencyndod, y down yn ymwybodol o dda a drwg; o'r glân a'r aflan.

Peth anodd ar y diân ydy cofio'n hieuenctid, yn enwedig ein llencyndod, yntê? Yn aml, mae rhieni yn cywilyddio wrth weithredoedd gan eu plant sy'n eu hatgoffa nhw, yn anymwybodol efallai, o'u castiau drwg nhw'u hunain gynt. Faint o weithiau y mae gweinidogion, athrawon a seiciatryddion wedi clywed rhiant yn cwyno am ryw wedd ddrwg neu annymunol ar y plentyn, ac yn ategu'n sydyn, 'Mae'n union fel roeddwn i, wyddoch chi.'

Llencyndod ydy cyfnod arbrofi, yntê? Gwneud pethau'n go iawn yn lle chwarae plant, a meithrin ymdeimlad o gyfrifoldeb am ein gweithredoedd. A dyfynnu pryddest wych Siôn Eirian am lencyndod, peth naturiol ydi hi i laslanc deimlo fel:

> hwrdd ifanc
> yn topi celfi ei amgylchedd,

gan gicio gwreichion o'r pridd
wrth chwilio am fwlch yn y clawdd,

yn ogystal â phendilio rhwng delfrydiaeth naïf ac anobaith yn wyneb rhagrith a dadrith oedolion.

Mae llencyndod yn gyfnod pan fo'r person yn dal i fyw ar ei ddychymyg i raddau helaeth, ac yn ffurfio'i hunaniaeth mewn amryfal feysydd. Cyfnod pan fo canlyniad gweithredoedd a chanllawiau moesol bywyd yn medru bod yn annelwig. Cyfnod pan fedr siom droi'n drychineb, a llwyddiant bach fod yn destun gorfoledd. Cyfnod sy'n gofyn arweiniad doeth, nid doethinebu; cydymdeimlad nid pregethu. A'r lle olaf i gael y rheini ydy mewn canolfan gaethiwo.

Dagrau pethau ydy fod yn rhaid wrth lesteirio neu ddileu rhyddid rhai pobl oherwydd trosedd neu afiechyd neu anhwylder. Ond dylai pawb fod yn ymwybodol o fethiant affwysol carchardai a dalfeydd fel cyfryngau i ddiwygio bywyd drwgweithredwyr, yn enwedig rhai ifanc, a'u caethiwo fel dull o atal troseddu ac amddiffyn hawliau'r cyhoedd. Mae llu o adroddiadau a llyfrau safonol wedi ategu hynny; er enghraifft, y gyfrol *Prisons: Present and Possible*, a olygwyd gan Marvin Wolfgang, lle tanlinellir dro ar ôl tro nad ydy carcharu a chaethiwo ddim yn gweithio'n iawn, nac yn foddion i helpu'r sawl sydd wedi dioddef oherwydd y drosedd, os nad ydy mwynhau'r ymdeimlad o gael dial yn helpu unrhyw un.

Gwneud iawn go iawn ydy gorfod dioddef y gwarth a'r gwae o gael dadlennu'ch trosedd, gorfod ceisio cymod â'r sawl y pechwyd yn ei erbyn, a gorfod gwneud rhywbeth i adfer yr hyn a gollwyd. Dim ond mewn achosion erchyll a pheryglus y dylai hyn hefyd olygu caethiwo pobl, a hyd yn oed wedyn mae'n rhaid cydnabod nad ydy hynny yn mynd i helpu'r troseddwr.

Wrth gwrs, nid yr un peth ydy troseddu â phechu bob tro. Mae yna bobl wiw, o gymeriad aruchel, yn troseddu yn erbyn cyfraith gwlad, ac yn gwneud hynny yn enw cyfraith uwch. Ac mae'r rhan fwyaf o bechaduriaid mawr yr hen fyd yma â'u traed yn gwbl rydd o afael cyfraith gwlad, os nad o un Duw. Mae gormod o lawer o bobl yn ein carchardai am eu bod yn anhwylus eu meddwl, yn hytrach na bod yn ddrygionus.

Mi gofiaf i'n dda am fy ymweliad cyntaf â charchar Caerdydd i weld rhyw greadur tlawd o Gasnewydd oedd wedi dwyn llefrith a bwydach wrth iddo drio ffawd-heglu adref at ei fam, fel y gwnaeth nifer o droeon cyn hynny. Roedd o dros ei ddeg ar hugain oed, yn edrych yn weddol normal, ond heb fedru na darllen nac ysgrifennu na dweud sawl pisyn tair oedd mewn swllt. Diolch i'r drefn mae Jac, bellach, mewn uned i'r gwan eu meddwl, ar ôl cyfnod mewn ysbyty seiciatrig. Erbyn hyn, mae pobl fel Jac, sy'n troseddu er mwyn cael bwyd a diod ar ôl cael eu gorfodi i adael ysbytai seiciatrig, yn aml yn diweddu mewn carchar neu mewn blwch cardbord.

Mi ges i'r fraint enbyd, dro arall, o fod yn garcharor, a gweld mor annynol ydy'r holl gyfundrefn. Nid nad oes yno swyddogion dynol a rhesymol, caredig ac ymroddedig. Ond mae gorfodi pob un i dynnu amdano'n noeth i ddechrau, o flaen y swyddogion, a gorfod defnyddio pot piso ac ysgarthu yn eich cell, heb fedru ei wagio fwy nag unwaith y dydd, yn diraddio person. Ac mae gwrthod yr hawl i garcharorion gyfathrachu â'u teuluoedd, gan gynnwys cyfathrach rywiol, yn arwain at chwalu'r teuluoedd, a dinistrio bywyd y wraig neu'r gŵr a'r plant, heb sôn am ddifetha gobaith carcharor o'i adsefydlu ei hun yn y gymdeithas ar ôl cael ei ryddhau.

Mae carchardai'r deyrnas hon yn wahanol i rai mewn ambell wladwriaeth arall, megis yn Llychlyn, sy'n gwneud eu gorau i drin carcharorion fel bodau dynol, a gweithio tuag at eu hadfer i fywyd normal. Ond yn ein rhai ni, gwaetha'r modd, mae'r gyfundrefn a'r adeiladau hynafol a'r gorboblogi yn tueddu i feithrin pob tueddfryd anghymdeithasol a phob tueddiad at wyrdroadau rhywiol a threisgar. Mae hynny i'w weld yn nrama Emyr Humphreys, 'Yr Ŵyn i'r Lladdfa,' a cheir tystiolaeth y to iau yng ngweithiau pobl fel Meg Elis, Angharad Tomos ac Angharad Dafis. Meddyliwch, o ddifrif, beth y mae'r math o brofiad a ddisgrifir gan y rhain yn ei wneud i bobl wan neu sâl eu meddwl.

Yn achos plant, a phobl ifainc hefyd, mor hanfodol bwysig ydy peidio'u hamddifadu o unrhyw berthynas sydd ganddyn nhw, yn deulu, cyfeillion a chymuned. A rhaid cofio bod pobl ifainc yn fwy hyblyg, hydeiml a hydrin yn y diwedd, ac â mwy o obaith diwygio'u hymddygiad. Onid ydym ni'n medru cofio rhywfaint o ba mor hawdd oedd hi i'n brifo ni, ein siomi ni, ein twyllo ni a'n harwain ar gyfeiliorn pan oedden ni ar y tir-neb anturus a pheryglus hwnnw rhwng plentyndod ac oedoliaeth, a hefyd pa mor sydyn yr oeddem ni'n medru ymadfer yn aml ar ôl rhyw drychineb neu'i gilydd?

Dim ond oherwydd trais difrifol, neu i atal hwnnw pan fo gwir berygl iddo ddigwydd, y dylid carcharu neu gaethiwo unrhyw un, yn fy marn i. A dylid cofio'n gyson fod llawer iawn o droseddwyr treisgar sydd wedi dioddef trais eu hunain (o du eu teuluoedd neu o fewn eu cymuned, neu o du'r wladwriaeth a byd busnes) yn cael eu hamddifadu (fel eu rhieni, efallai) o gynhaliaeth gwaith, neu'n cael eu halltudio o'u bro drwy bwysau economaidd amrwd.

Wrth gwrs ei bod yn rhaid wrth Gyfraith a Threfn i warchod y diniwed ac i gynnal gwareiddiad, ond dylai pob cyfraith a threfn ddynol geisio bod yn gysgod o'r Gyfraith a Threfn sy'n maddau pechod ac yn cynnig gwledd i'r troseddwr sy'n gofyn am faddeuant. Does gan neb yr hawl i ddedfrydu neb, hen nac ifanc, i ddifancoll.

O ystyried pobl ifainc, mor anodd ydy hi iddyn nhw ddirnad eu bod yn symud o chwarae plant tuag at y byd lle mae'n rhaid iddyn nhw gymryd cyfrifoldeb go iawn am eu gweithredoedd. Prin, bellach, ydy'r rhai sy'n mynd drwy ddefodau dod i oed, megis cael eich Derbyn yn Gyflawn Aelod mewn capel neu gael Bedydd Esgob neu Bar-Mitsfa, tua'r un pryd ag yr oedd blew yn dechrau ymddangos ar gernau glaslanc a siâp corff merch ifanc yn dechrau newid. Does yna ddim hyd yn oed y ddefod o ddechrau gwisgo trowsus llaes neu sgert laesach!

Prin iawn ydy'r rheini sy'n derbyn bendith ac arweiniad crefydd i groesi'r bont tuag at her a chyfrifoldebau bod mewn oed. Yn y cymdeithasau lle mae hynny'n digwydd, mae yna lai o drais a throseddu, ond i'r rhan fwyaf o blant, rhyw ymlusgo i oedoliaeth a wnân nhw; heb i nifer ohonyn nhw fyth gyrraedd cyflawn aelodaeth o'r ddynoliaeth, hyd y gwelaf i. Yr unig gamfeydd y mae llu o bobl ifainc yn ymwybodol ohonyn nhw wrth dyfu i fyny heddiw ydy cael yr hawl i gyfathrach rywiol, i yrru moped neu feic modur, i fedru ymuno â'r Lluoedd Arfog, i fynd i dafarn ac yfed yn gyfreithlon, ac i briodi. Trueni na cheid un oedran pendant a gydnabyddid yn adeg dod i oed ar gyfer popeth: dwy ar bymtheg, dyweder.

Diau fod llawer o ddarllenwyr hyn o druth yn sicr erbyn hyn fy mod i'n ddelfrydwr llywaeth. Onid oes yna lu o ddihirod gwyllt, anystywallt yn ein cymdeithas ni, ymysg pobl ifainc yn arbennig, sy'n brawychu hen bobl, yn ymosod ar bobl o bob oed, yn

114

dreisgar, yn ymyrryd ag eiddo onid ei ddistrywio, a'r cyfan mewn ffordd gibddall, hurt yn amlach na pheidio?

Wrth gwrs fod yna ddihirod 'aflan' o gwmpas: pobl sydd, oherwydd eu natur gynhenid, eu cefndir neu eu hanes, neu gyfuniad o'r cwbl, heb gydwybod na pharch at unrhyw safon o foesoldeb nac at unrhyw berson. Pobl fel Dewi yn nrama Saunders Lewis, 'Cymru Fydd', sydd ag elfen gref o'r seicopath ynddo. Ond mae'n rhaid i ni sy'n arddel Cristnogaeth, o leiaf, fynnu credu fod yna siawns o ryw fath i berson felly aeddfedu neu gael ei ddiwygio. A chyn i hynny ddigwydd, mae'n briodol i amharu ar ei ryddid. Ond dylid o leiaf geisio'i ddiwygio a'i hyfforddi.

Yn 1978, cynhaliwyd Blwyddyn Ryngwladol y Plentyn, dan nawdd y Cenhedloedd Unedig, a gwnaed môr a mynydd o hawliau plant o bob oed. Ddwy flynedd wedyn, cafwyd Blwyddyn Ieuenctid, ac yna daeth Blwyddyn y Teulu, gyda phwyslais eto ar hawliau y buasai plant y 'Drysorfa' gynt wedi'u cymryd yn ganiataol fel safonau, hyd yn oed os nad oedd pob plentyn yn cael eu mwynhau nhw. Yr hawl fwyaf sylfaenol ydy cael bod yn rhan o deulu. Ond beth ydy ystyr hynny erbyn hyn? Un ai mae teuluoedd wedi chwalu'n yfflon yn rhy aml, neu maen nhw'n rhai ynysig: rhieni a phlentyn neu ddau heb berthynas â neb ond ei gilydd.

Prin a phrinnach ydy'r plant sy'n cael gofal teulu a chwmni plant eraill yn gyson dros gyfnod digon hir iddyn nhw gael prifio'n briodol; cael eu modelu eu hunain ar dad neu fam neu or-riant, a chael arbrofi yn labordy perthynas pobl â'i gilydd mewn ysgol a chymuned, yn ogystal â theulu; dysgu byw gyda chwantau a theimladau a deisyfiadau newydd o hyd ac o hyd. Pa sefydliad, pa Adran Gwasanaethau Cymdeithasol, pa gymdeithas wirfoddol sy'n medru cynnig hynny? Ac, och! faint o deuluoedd erbyn hyn?

Fel y mae hi, mae bron i hanner ein priodasau'n chwalu, a phrin ydy'r rheini sy'n gwneud hynny heb gost sylweddol i'r plentyn. Yn amlach na pheidio mae torpriodas yn gyfystyr â thorcalon. Hyd yn oed pan fo'r ymraniad neu'r ysgariad yn 'waraidd', yn digwydd rhwng y pâr yn eu hoed yn unig, ac nid rhwng yr un o'r rhieni a'r plant, mae yna golled annirnadwy i'r plentyn. Enbyd hefyd yw'r gonfensiwn greulon honno lle na ddisgwylir iddyn nhw gwyno nac wylo, rhag ofn styrbio'r rhiant. Hawdd deall awydd plentyn i beidio â chythruddo'r rhiant sydd

115

ar ôl, ond mae'n anodd iawn i unrhyw un, heb sôn am blentyn, fygu ei ofid a'i alar fel yna, heb i hynny achosi rhyw anhwylder arall yn y man. Gwaeth: yn y rhan fwyaf o enghreifftiau o dor-priodas, rhan ydy hynny o ddilyniant o chwalfeydd anarchaidd, sy'n golygu hafaliad mwy trychinebus fyth i'r plant: torpriodas yn creu torcalon, a hynny'n esgor ar dorcyfraith trwy droseddu yn erbyn eraill (neu'r hunan) mewn dial dall. Tra pery torpriodas ar y raddfa enbyd bresennol, bydd raid wrth sefydliadau i geisio cymryd lle'r teulu. Mae gennym ni enghreifftiau gwiw o sefyd-liadau o'r fath, yn enwedig Cartref Bontnewydd a Chymdeithasau Plant yr Eglwys yng Nghymru a'r Eglwys Babyddol. Ond mae'r rheini mor brin eu hadnoddau, ac mae'r Adrannau Gwasanaethau Cymdeithasol yn gorfod tocio ar eu gwasanaethau ar yr union adeg pan fo fwyaf o'u hangen.

Fel y dywedais i, un o ganlyniadau colli rhiant neu deulu, drwy farwolaeth neu chwalu perthynas, ydy galar. Mae galar am riant sy'n absennol, ond sy'n dal yn fyw, yn waeth fel arfer nag am un sydd wedi marw; fel y dicter tuag at y rhiant sydd ar ôl ond a fethodd gadw'r teulu wrth ei gilydd, yn ôl dirnadaeth y plentyn.

Galar arall, hollol normal, ydy galar pob un yn ei lencyndod am ei blentyndod sydd ar ddiflannu. Mae'r cyfuniad yna o ganu'n iach a symud ymlaen yn hanfodol i brifiant person, ond yn anodd iawn i'w gyflawni pan na chafodd y person fwynhau unrhyw fath o blentyndod normal: bod heb ofal na chariad, heb neb i'w fagu nac i glirio'r llanastr a greodd o dro i dro. Does dim modd chwarae plant a rhoi tragwyddol libart i'r dychymyg heb y gofal a'r cariad yna.

Oni ddylem ni, felly, hybu parhad priodas, yn enwedig drwy baratoi pobl ar gyfer her ryfeddol yr ymrwymiad, a chynnig cymorth a chyngor pan fo pethau'n ddrwg yn y briodas? Rhoi hawliau ac anghenion plant yn uwch na rhai oedolion. Os oes raid ymrannu, neu ysgaru, yna rhaid pwyso ar i'r rhieni ddal at eu hymrwymiad i'r plant. Ac os oes raid i blentyn fynd i Gartref neu at deulu maeth, yna dylid rhoi pob swcwr iddo gyda chefnogaeth ariannol a phob cymorth arall i'r gofalwyr neu warcheidwaid. A phan fo'r plentyn yn dial ar ei fyd, a throsedd neu drafferthion eraill yn digwydd, oni ddylid ymdrin â hynny mewn llysoedd neu gyfarfodydd teuluol, lle mae'n rhaid i'r ddau riant fod yn bresennol, ynghyd â'r plant neu'r plentyn gyda chynghorydd yn gefn iddyn nhw? A chynnal pob cyfarfod o'r fath mewn awyrgylch sy'n rhydd o naws ymosodol llysoedd barn cyffredin.

Mae rhywbeth ofnadwy o'i le ar gymdeithas sy'n sôn o hyd ac o hyd am Gyfraith a Threfn, a thrist wrth drafod pobl ifainc ydy esgeuluso pob sôn am gariad, trugaredd a magwraeth. Mae yna dda a drwg ym mhawb, ond yn achos plant mae hi gymaint haws meithrin y da os down ni at yr helynt gyda gras yn ein calonnau.

(Anerchiad i gynhadledd Ynadon)

17 Ystyr Sant i Babydd

Dros y blynyddoedd diwethaf hyn clywsom am ganoneiddio Cymry Cymraeg Pabyddol, o gyfnod y Gwrth-ddiwygiad, yn saint yn ôl yr Eglwys Gatholig Rufeinig. Er bod hynny'n brofiad newydd a rhyfedd i ni i gyd, dydy'r gair sant ddim yn ddieithr, wrth gwrs, i'r traddodiad Anghydffurfiol. Teg felly imi geisio esbonio sut y mae'r Pabyddion yn ystyried sant a sancteiddrwydd.

Ymysg y rhai a ganoneiddiwyd yn ddiweddar, roedd merthyron a laddwyd adeg y chwalu ar hen drefn bedair canrif yn ôl: John Jones, John Roberts a John Lloyd, Philip Evans, David Lewis a'r bardd Richard Gwyn. Am y rhain y sgrifennodd Waldo ei gerdd 'Wedi'r Canrifoedd Mudan', sy'n costrelu cymaint o'r syniad Pabyddol am yr hyn ydy sant, syniad sydd mor wahanol i un Mari Lewis gynt.

> Eneidiau yn un â'r rhuddin yng ngwreiddyn Bod.
> Maent yn un â'r goleuni. Maent uwch fy mhen
> Lle'r ymgasgl, trwy'r ehangder, hedd. Pan noso'r wybren
> Mae pob un yn rhwyll i'm llygaid yn y llen.

Mae'r saint cydnabyddedig Pabyddol i gyd wedi marw felly, a choffeir eu bucheddau arwrol a'u dirnadaethau crefyddol ar wyliau arbennig, ac yn enwedig ar Ŵyl yr Holl Saint, ar Dachwedd y cyntaf. Pan fydd pawb arall, bron, yn meddwl am fwci-bo ac ysbrydion a gwrachod Calan Gaeaf, mae Pabyddion yn mynd i'r Offeren i ddathlu llwyddiant rhai eneidiau dethol y cyhoeddodd eu Heglwys iddyn nhw gyrraedd y nef eisoes, ynghyd â llu o rai cyffelyb ond anhysbys. Drannoeth Gŵyl yr Holl Saint, coffeir yr Eneidiau Sanctaidd sydd wedi 'huno mewn gobaith am yr atgyfodiad'. Cyfnod ydy hwn, ar ddechrau Tachwedd a chaledi'r gaeaf, i geisio syllu drwy'r rhwyllau yn y llen, er mwyn i'r Eglwys fuddugoliaethus 'fry yn y nef' gynorthwyo'r Eglwys 'ar y llawr'. Yr un ydy'r diben wrth inni ofyn i'r saint—yn ogystal â châr a chyfathrach—weddïo drosom. Dyna'n syniad ni o Gymun y Saint.

Mae ymgyfarwyddo â'r saint yn gwneud inni berthyn i'n gilydd, a chyd-ddibyniaeth ydy'r nod. Rydym ni'n credu fod Duw am inni ei ganfod drwy ymwneud â phobl eraill fel arfer, nid drwy fynd yn uniongyrchol ato fo o hyd. Cofier fod yr Eglwys Babyddol, hithau, wedi gorfod dysgu nad erfyn ar saint, erfyn am wyrthiau a gwneud gweithredoedd da ydy popeth, a bod yn rhaid wrth fuchedd rinweddol ar ran pawb. Dysgodd lawer am hyn oddi wrth rai o saint mawr y Gwrth-ddiwygiad, sef ymateb yr Eglwys Babyddol i'r Diwygiad Protestannaidd. A dau o'r diwygwyr Pabyddol pennaf oedd Teresa o Avila a Ioan y Groes.

Perthyn y ddau i gyfnod y merthyron Cymreig a enwyd uchod. Cyfarfu'r ddau yn 1568, flwyddyn ar ôl i Gruffydd Robert gyhoeddi rhan gyntaf ei Ramadeg Cymraeg ym Milan. Roedd Teresa yn lleian hanner cant a thair mlwydd oed a Ioan y Groes yn fynach pump ar hugain mlwydd oed. Roedd y ddau'n aelodau o Urdd y Carmeliaid y mae'r Tad John Fitzgerald yn perthyn iddi, ac y mae ganddi dŷ yn Aberystwyth heddiw. Roedd y ddau'n awduron ysbrydoledig hefyd; yn bobl eofn a mentrus ond yn eiddil a di-lun o ran corffolaeth. Y ddau hyn oedd i ddiwygio'r hen urdd yma yn Sbaen a thu hwnt; dau ar dân dros ddaioni.

Roedd hi'n gyfnod o drai ar Babyddiaeth, cyfnod a ddaeth â Lutheriaeth i ffiniau Sbaen, pan oedd Harri VIII yn chwalu'r mynachlogydd ym Mhrydain. Roedd Teresa wedi bod mewn lleiandy am bron ugain mlynedd cyn iddi gael tröedigaeth ar drothwy ei phen blwydd yn ddeugain. Sylweddolodd mor llac a di-eneiniad oedd buchedd lleianod a myneich bryd hynny: wedi colli'r hen bwyslais ar weddi a distawrwydd a bod ar eich pen eich hunan gyda Duw. Gadawodd Teresa a phedair lleian arall y cwfaint moethus ac ymsefydlu mewn tŷ bychan, lle gwisgent abidau o frethyn bras gan gerdded yn droednoeth. Bu llawer yn gwrthwynebu'r ddiwygwraig fach herfeiddiol, ond cefnogwyd hi gan yr esgob lleol a phennaeth Urdd y Carmeliaid yn Rhufain. Trodd y cwfaint bach newydd yn baradwys ar y ddaear iddi, ond bu raid iddi ei adael er mwyn rhoi trefn ar leiandai eraill. Teithiai fel pregethwr crwydrol, yn cysgu mewn tafarndai chweinllyd yng nghwmni milwyr a marsiandwyr, neu ym môn clawdd. Roedd mewn perygl yn aml o du lladron pen-ffordd, heb sôn am elyniaeth yr awdurdodau. Ond bu'n eofn ar y Brenin Philip II, a gwnaeth gyfaill ohono wrth ei atgoffa i Saul gael ei wrthod ar ôl cael ei eneinio, a throi calon un diwinydd gwrthwynebus drwy yrru brithyll iddo!

Doedd dim yn sych-dduwiol ynddi; roedd ganddi hiwmor yn ogystal â ffydd ac angerdd ysbrydol, a medrai fwrw hoelen i bren a choginio'n gelfydd. Hoeliai'i sylw, er hynny, ar berson ei Gwaredwr. Fel y dywedwyd am Santes Teresa Cymru, y Fendigaid Ann, roedd y ferch o Avila hithau yn cael 'y fath amlygiadau ysbrydol o ogoniant person Crist, gwerth ei aberth, grym ei eiriolaeth, anchwiliadwy olud ei ras . . . ag a barai iddi dorri allan mewn gorfoledd cyhoeddus ar brydiau.' Fel Ann, roedd llwybr Teresa'n gwbl groes i natur yn ôl safonau'r oes: crwydryn gorffwyll, fel hen wrach, yn herio preladiaid a brenhinoedd er mwyn cyhoeddi gwirioneddau'r ffydd.

Cafodd gymar enaid yn Ioan y Groes, a bu yntau'n diwygio mynachdai'r un Urdd yn ogystal â chyfansoddi cerddi iasol o gariad i'w Waredwr. Roedd fel petai Pantycelyn a'r Ferch o Ddolwar Fach wedi bod yn cyfoesi a chydweithio.

Mynnodd Teresa, fel ei dilynwyr hyd at y Fam Teresa yn Calcutta heddiw, ddweud fel Ann Griffiths, fod yn rhaid dechrau gyda'r meddwl a'r deall, ond diweddu gyda chariad at berson Iesu. Rhyfedd fel y mae gwaith y Fendigaid Ann yn adleisio'r sancteiddrwydd sydd yng ngwaith Teresa o Avila na chlywyd sôn amdani yng Nghymru hyd yn ddiweddar. Ond wedyn, pa ryfedd fod gweithiau rhai pobl sy'n offerynnau yn adleisio llais Duw? Gallwn glywed yr un tinc mewn cerdd fel hon gan Ioan y Groes:

O fflam cariad sy mor fyw,
Mor dyner y treiddi di
I fywyn eithaf f'enaid i â'th dân.
Gan nad oes gennyt amheuon mwyach,
Gorffenna'th waith, dilyn dy drywydd,
Ac er mwyn inni'n felys gwrdd,
O, rhwyga'r wisg.

O seriad mwyaf tyner!
O archoll sy imi'n wobr,
O law dirion!
O gyffyrddiad ysgafn, iasol!
Bywyd tragwyddol a gyfrenni:
Dwyn baich pob dyled
A newid fy angau'n fywyd, hyd yn oed wrth fy lladd.

O lusernau llachar tanllyd,
A'u gogoneddus danwydd
Yn goleuo cilfachau eithaf fy enaid
Oedd ddall o niwl a tharth,

Ond sy'n y dadeni rhyfedd
Yn rhoi i'r anwylyd wres a goleuni.

Y fath hedd a chariad yn ymblethu,
Y deni di i'm bron;
Sy'n drigfan cadw i ti yn unig.
Tra gydag anadliadau amheuthun,
Mewn gogoniant, gras a thangnefedd,
Y peri i mi syrthio'n fwyn mewn cariad.

Dyna dinc sancteiddrwydd. Eto, nid syniadau treiddgar neu gyfiawn sy'n dangos fod person yn sant. Rhaid i'r fuchedd fod yn sanctaidd hefyd. Wrth ffrwythau eu meddwl a'u calon yr adnabyddir sancteiddrwydd y cyfiawn. Mae gan yr Eglwys Gatholig broses gymhleth ar gyfer canoneiddio pobl, sef cyhoeddi eu bod yn saint. Rhaid iddyn nhw fod wedi marw, fel na allan nhw bechu mwyach, a rhaid archwilio pob tystiolaeth bersonol neu hanesyddol am eu buchedd, gan ddisgwyl clywed i bethau da, onid gwyrthiau, ddeillio o ddefosiwn y ffyddloniaid iddyn nhw. Os profir fod rhywun wedi'i ferthyru dros y ffydd, derbynnir hynny fel sail gyflawn ar gyfer canoneiddio.

Wrth gwrs, mae rhai o gampau'r saint yn go hynod os nad od, fel Teresa uchod, a phobl fel Siwan d'Arch gydag amheuon ynghylch eu pwyll a'u rheswm. Ond os ydy rhywun am ddarllen trafodaeth olau ar y gwahaniaeth rhwng sancteiddrwydd a gwallgofrwydd, does dim byd gwell na rhagymadrodd yr agnostig enwog hwnnw o Wyddel, George Bernard Shaw, i'w ddrama fawr 'St Joan'.

Mi welwch fod yna dipyn o wahaniaeth rhwng syniad Pabyddion am beth ydy sant ag un yr Anghydffurfwyr, gyda rhai ohonynt eisoes yn gadwedig ar y ddaear. Dydw i ddim yn siŵr pa rai oedd mewn golwg gan y caethweision yn eu cân enwog am y Saint yn gorymdeithio i mewn i'r nefoedd!

18 Seicoleg Ann Griffiths

Mewn erthygl yn *Yr Eurgrawn*, yn Ionawr 1976, bu'r Parchedig Noel Gibbard yn cwyno am y rhai sydd am yrru Ann Griffiths at seiciatrydd. Dywedaf innau 'Amen' i hynny. Diau fod rhai hefyd yn arswydo rhag i Babydd fel fi drio gwneud Ann yn aelod technegol, megis, o'r Eglwys Babyddol, fel y gwnaeth seicolegydd amatur arall o Babydd â chawr llenyddol arall y Diwygiad Methodistaidd, Williams Pantycelyn!

Gallaf eich sicrhau mai rhyw Sganarelle o feddyg ydw i, heb gael fawr mwy o hyfforddiant ym meysydd seicoleg nag a gafodd y Doctor Er Ei Waethaf hwnnw. Mae gen i ddigon o gydymdeimlad â geiriau Saunders Lewis yn yr opera 'Serch yw'r Doctor':

> Seicoleg, O! Seicoleg ddofn!
> Hapusaf twyll y ganrif, byd a'i gŵyr!

Fodd bynnag, rydw i am drio dweud ychydig am seicoleg Ann am fod cymaint yn amau holl sail cred pobl fel fi amdani, sef ei bod o ddwyfol anian. Mae digon wedi ei sgrifennu am ei hemynau a'i buchedd, ond yr hyn yr hoffwn i ei wneud ydy ceisio profi nad ynfydrwydd neu wallgofrwydd oedd i gyfrif am ei hanian ddwyfol.

Os derbynnir fod yna rywbeth goruwchnaturiol yn ei chylch, hyd yn oed o dderbyn bod ei llwybr yn y byd yn gwbl groes i natur yn ôl ei honiad hi'i hun, ac onid ydym am gredu mai angyles ydoedd, yr oedd iddi natur ddynol. Roedd yn berson naturiol a'i chynhysgaeth i'w chymharu â'r hyn sydd ynom ninnau i gyd, fwy neu lai. Ar sail y naturiol yr adeiledir y goruwchnaturiol, er y byddai'n well gan yr hen Fethodistiaid, o leiaf, ddweud gyda Jonathan Edwards mai chwyldroi'r naturiol y mae gras.

Ystyr sôn am ei seicoleg hi i mi, felly, ydy ceisio gweld a disgrifio adeiladwaith ei phersonoliaeth: y gydberthynas ryfedd rhwng yr elfennau sy'n gwneud person, sy'n ei alluogi i ddeall a chofio a gweithredu, i fod yn unigolyn sy'n medru'i adnabod ei hunan yn ogystal ag adnabod pobl eraill. A defnyddio iaith Martin Buber eto, creadur sy'n medru dweud 'Myfi' a 'Tydi'. Yr oedd yna hen syniad ymysg Cristnogion ac eraill mai enaid a chorff mewn rhyw wrthdaro parhaus oedd dyn; angel wedi ei gaethiwo mewn cnawd. Yn wir, fe aeth un diwinydd cynnar ati i geisio rhyddhau'r angel rywfaint, a lladd galwadau a hualau'r cnawd arno drwy drychu un o aelodau mwyaf anystywallt ei gorff! Ond nid ein 'sbaddu ni ydy pwrpas y grefydd Gristnogol, ond yn hytrach gyflawni a chyflenwi'n natur ddiffygiol.

Syniad Cristnogol arall am natur dyn sy'n fwy derbyniol inni i gyd erbyn hyn, gan gynnwys seicolegwyr, ydy mai undod yw pob person; undod o elfennau sydd â'u perthynas â'i gilydd yn amrywio o funud i funud, ac yn gallu chwalu, bron, dan amgylchiadau o straen anghyffredin.

Byddai'n decach yn wir awgrymu gyda Victor White mai cnawd wedi ei gaethiwo mewn enaid ydy dyn, yn hytrach nag enaid yn gaeth mewn cnawd.

Os ydych chi am dderbyn Freud â'i egoau a'i isymwybod, Jung â'i gynddelwau a'i gof torfol, y giwed o Adler i Melanie Klein, neu seicolegwyr cyflyrol, popeth yn dda. Rydw i'n dewis defnyddio syniadau William James yn ei lyfr, *The Varieties of Religious Experiences*, a gyhoeddwyd ar ddechrau cyntaf ein canrif, a'r disgrifiad sy ganddo yno o'r hyn a elwir yn 'faesymwybyddiaeth'. Er hynny, does dim gwrthdaro sylfaenol rhwng y gwahanol ddisgrifiadau hyn o feddwl dyn, ond fod gan bob un ei ddirnadaeth arbennig i'w chyfrannu. Mae'r syniad o faes ymwybyddiaeth yn fwy cynhwysol, dybiwn i, a rhywbeth yn debyg i'r syniad henffasiwn crefyddol am enaid fel y person cyflawn: 'Fy *enaid* a fawrha yr Arglwydd'—y deall, yr ewyllys a'r cof—yn eu cnawd. Y deall a'r ewyllys sy'n medru ffurfio perthynas â phobl eraill, a'r cof yn ei ystyr ehangaf, sy'n dwyn ein gorffennol pell ac agos, personol, teuluol a chymdeithasol, ynghyd â'r amgylchiadau oedd yn ein hamgylchynu funud yn ôl, i gyd i fewn i'r hyn ydym ni, ac a wnawn ni y funud hon. Y mae hyd yn oed bodiau traed, lliw gwallt nain, beth a ddysgodd yr athro ysgol cyntaf i rywun, neu beth a ddigwyddodd ar ryw drip ysgol Sul erstalwm, heb sôn am addysg a genedau a magwraeth; y mae popeth yn chwarae rhyw ran yn ein dirnadaeth o'n byd a'n hymateb iddo.

Fe bwysaf i, felly, ar y ffordd y mynegwyd y peth yn y llyfr yna gan William James. Mae'n well gen i ei syniadau o na'r rhai anatomaidd braidd a gafwyd gan Freud ac eraill, o ymwybod ac anymwybod, isymwybod pell ac agos, yr egoau uwch ac is, ac yn y blaen. Gwell imi drio aralleirio disgrifiad James, gan addasu

123

ychydig arno wrth gofio'i bod hi'n haws sôn am y syniad yn Gymraeg oherwydd fod ein gair 'meddwl' yn enw ac yn ferf.

Yn lle sôn bellach am ystafelloedd a grisiau'r meddwl, nac ychwaith sôn am 'syniad' fel rhywbeth diffiniedig ei derfynau, yn tarddu o'r meddwl, fe sonnir am faes ymwybyddiaeth. Does ond eisiau inni ofyn: 'Beth sy'n eich meddwl chi?' neu 'Am be ydych chi'n meddwl?' O ddwys ystyried ein hatebion, fe fyddem ni oll yn cytuno, rwy'n siŵr, fod llu o bethau yn y meddwl ar unrhyw bryd, a'r darlun yn newid i ryw raddau o funud i funud; yn llif ymwybod fel y dywedir am lawer o waith Daniel Owen a James Joyce. Er ein bod ni'n crynhoi popeth yn ôl blaenoriaethau'r deall a'r ewyllys, er mwyn rhoi ateb i gwestiwn neu i weithredu'n gorfforol ymarferol, maes eang ydy'r darlun ffilm yma sy'n y meddwl. Maes ag arno bethau ystyrlon ac anystyrlon, arwyddocaol a diarwyddocâd, pethau dibwys a brau yn ogystal â rhai sy'n parhau a dal eu lle mwy neu lai, yng nghanol y llif: broc môr ein byw fel unigolion ac ar y cyd, heddiw a ddoe, ac effaith yfory yno o ran ofnau a gobeithion. A'r matrics, y gnodwe, yn wead o deimladau a greddfau rhyngddynt ac o'u cwmpas.

Ar y maes yma fe fydd rhai pethau'n fwy amlwg na'i gilydd; rhai eraill yn fwy ymylol er nad yn llai arwyddocaol o bosib. Fe fydd canolbwynt y sylw yn symud, a phob symudiad yn newid rhywfaint ar berthynas popeth arall â'i gilydd. Daw pethau i sylw neu i ganol y llwyfan yn ddamweiniol neu o rym ewyllys y person ei hun neu rywun arall. Mewn geiriau eraill, fe fydd perthynas popeth â'i gilydd yn dibynnu i raddau ar ddewisiad ar ran yr ewyllys ar sut faes ydyw i ddechrau, ac ar ddamweiniau o'r tu allan megis; yn tarddu o gyfnewidiadau mympwyol natur neu o weithredoedd pobl eraill. Mae'r peth yn hynod o debyg i faes magnetig. Yno fe geir canolfannau'n amrywio o ran eu natur a'u nerth trydanol, yn negyddol neu'n gadarnhaol. Fe fydd rhai pethau'n denu pethau eraill neu'n eu gwthio ymaith, a rhai pethau'n ddi-rym, yn ddiddrwg ddidda mewn termau trydan, os na fyddant yn effeithio ar rywbeth arall y mae iddo arwyddocâd trydanol.

I fynd yn ôl at y syniad o'r maes ymwybyddiaeth yna. Ystyr sôn am donnau magnetig yn gryfach o amgylch un peth ydy fod i hwnnw, oherwydd dewis neu ddamwain, le amlwg, neu flaenoriaeth yn ein meddwl ar y foment honno. Fe all ganolbwyntio'n sylw i'r fath raddau nes iddo nid dim ond lleihau'r sylw a gaiff pethau eraill, ond megis eu dileu. Ond fe fyddan nhw yno o hyd, yn y cysgodion ar yr ymylon, neu hyd yn oed yn y dibyn ar y terfyn. Fe ellir newid trefn pethau ar y maes i'r fath raddau nes ei gwneud hi'n anodd dirnad fod yr un newydd ag unrhyw berthynas â'r hen un. Ond, o graffu, fe welir fod popeth yn dal yno o hyd, hyd yn oed pan geir tröedigaeth neu chwyldroad sylfaenol ym mherthynas pethau â'i gilydd, ac elfennau newydd a phwysig wedi eu dwyn i mewn i'r sefyllfa. Po fwyaf cadarn a pharhaol ydy'r pethau ar y maes, mwyaf anodd fydd eu newid nes ei bod hi'n broblem adnabod y maes ei hun.

Y cwbl a wnes i uchod, wrth reswm, oedd dweud yr hyn sy'n gyfarwydd inni i gyd, ond fod ein hoes ni'n hapusach o'i gael mewn geiriach gwyddonol. Awn yn ôl at Ann Griffiths, at Ann Thomas yn wir. Dyna'n maes ni. Fe ddaw llawer o'i natur hi'n hysbys inni drwy astudio gradd ei gwreiddiau. Astudiwn yr hyn etifeddodd hi gan ei rhieni yng nghroth ei mam, a chanddyn nhw a'r teulu oll ar yr aelwyd, ac o ddiwylliant yr ardal. Roedd ei thad yn ddyn tyner, tawedog yn ôl bob sôn, yn ffigur gweddol amlwg yn y gymdeithas. Bu farw yn 66 oed o'r coluddwst, yn ôl cofiant Morris Davies. Gair amhendant ydy coluddwst, a allai o bosib olygu mai coluddwst briwiol oedd arno. Petai hynny'n wir, a does dim tystiolaeth bendant, fe ellid maentumio rhai pethau am ei bersonoliaeth, gan fod y clwy hwnnw'n perthyn i fyd afiechydon seico-somatig, lle mae symptomau corfforol yn tarddu o anhwylderau'r ysbryd, neu y ffordd arall. Fe ddywedir am lawer o gleifion o'r coluddwst briwiol eu bod yn aml yn bobl obsesiynol o dwt, yn gosod pwys ar fanylion ac ar drefn a glanweithdra; dywedir fod nifer ohonyn nhw'n tueddu at bruddglwyf, a bod y clwy fel wylo mewnol mewn pobl sy'n methu mynegi eu teimladau cryfion yn agored. Fe gofiwch fod David Thomas yn awgrymu i'r tad dorri chwaer Ann, Elizabeth, allan o'i eglwys.

Yr oedd Ann hefyd yn ferch o deimladau cryfion, ac yn berson manwl a llawn dyfalbarhad. Roedd ei thad yn 'bwyllog a synhwyrol' yn ogystal, yn eglwyswr manwl ac yn cadw dyletswydd yn gyson. Hoffai farddoniaeth ac roedd yn ymarfer y grefft gyda rhywfaint o lwyddiant. Fe welir ôl yr holl ddylanwadau hyn ar ei ferch Ann, fel ar lawer un arall o'i blant.

Dwedir am John, brawd Ann, ei fod yntau'n 'ddistaw, dwys a serchog' ac iddo fynd dros ben llestri braidd wrth droi at y Methodistiaid, gan werthu'i ddillad a thipyn o'i eiddo. Bu farw'n ddibriod yn ddeunaw ar hugain mlwydd oed. Yn ôl ambell awdur, roedd y fam hithau'n grefyddol. Mae'n sicr fod y brawd Edward, dafad ddu'r teulu, yn ŵr o deimladau cryfion. Fe laddodd o ei gymydog, ond roedd yntau'n ddigon cymeradwy gan y Methodistiaid yn ardal Merthyr Tudful wedi iddo ddioddef carchar, a gwneud iawn am ei gamwedd.

Am Ann ei hunan, cafodd gartref clyd, cysurus, ond fe ddioddefodd o'r clefyd cryd cymalau deirgwaith yn ystod ei phlentyndod, a diau i hwnnw adael ei ôl ar ei chalon, fel y sylwodd Dr Derec Llwyd Morgan. Cafodd hi addysg dda o gofio'r cyfnod a'i safle hi fel merch ac yn gymdeithasol, ac roedd yna lyfrau yn y tŷ. Yr oedd hi'n ferch ddeallus, flaengar, drawiadol, yn arfer â gweision ac â bod yn dipyn o geffyl blaen yn ei chymdeithas. Ymddifyrrai mewn barddoniaeth, fel y gwnâi mewn canu a diwylliant ei bro yn gyffredinol, gan gynnwys englyna, y carolau plygain, dawnsio a dathlu gwylmabsant. Does dim byd i awgrymu nad oedd hi'n ddigon hoff o ddillad, ac yn deffro'n rhywiol ac yn naturiol o fewn y cyfyngiadau a roed arni gan weddustra crefydd draddodiadol a'i sefyllfa gymdeithasol. Dros ysgwydd y blynyddoedd, hwyrach y dywedai'r Methodistiaid fod Ann, cyn ei thröedigaeth, 'yn rhemp am y nosweithiau llawen'.

Hwyrach fod Saunders Lewis yn iawn wrth awgrymu mai mewn galar bron yr aeth Ann i Lanfyllin, tua gŵyl Gwenfrewi 1796. Hawdd fyddai credu, er hynny, fel y gwnaeth Morris Davies mai yn 'eneth fywiog, ysgafndroed . . . a'r bore yn deg, yr awel yn hyfryd, a natur yn gwenu', yr aeth Ann i dref ei chwaer, ac ynddi'r hyn a ddisgrifir fel 'disgwyliadau ofer wedi codi'n uchel'. Mae'n bosib fod y ddwy ddamcaniaeth yn gywir. Mae hyd yn oed merch alarus yn medru dyheu am rywbeth i godi ei hysbryd, a diau y byddai disgwyl serch neu gariad yn un o'r pethau amlwg a allai wneud hynny: y disgwyliadau ofer y sonir amdanyn nhw, disgwyliadau naturiol. Breuddwydio, a hyd yn oed hanner disgwyl, cyfarfod â chariad gwych a theilwng, y llamai ei chalon ato fel yr hydd. Y mae hynna'n un o deimladau naturiol merch ifanc, yn enwedig un y dywedwyd amdani, gan John Hughes a Thomas Charles hefyd, fod ganddi 'gyneddfau cryfion'.

Un arall o'r cyneddfau oedd teimlo'n isel ei hysbryd ar adegau. Mae hynny hefyd yn ddigon naturiol i unrhyw un cyfrifol a deallus, sy'n meddwl o gwbl am y crac sy'n ein cread, yn ein hatal rhag cyflawni uchelgeision cyfiawn. Peth naturiol wedyn ydy cael cyfnodau o ddryswch ac iselder, a hyd yn oed anobaith. Yn enwedig felly mewn llencyndod, pan yw'r unigolyn yn ymdrechu i weld patrwm ac ystyr mewn bywyd ac i ymsefydlu fel person cyfrifol, mewn oed ac mewn llawn bwyll. Ac roedd hi wedi colli ei mam. Os oedd yna dueddiad at iselder ysbryd yn y teulu, does dim hanes iddo erioed fynd i'r felan batholegol. Nid oes arwydd chwaith i Ann golli na'i synnwyr o gyfrifoldeb, na'i deallusrwydd na'i phwyll wedi i'w bywyd gael ei chwyldroi. Aeth hi ddim i unrhyw enciliad meddyliol parhaus; daliodd i ymwneud â phobl, i fyw'n ystyrlon a chymen, ar wahân i anghofio cwyro dodrefn weithiau pan oedd hi'n bruddglwyfus, pechod mawr yn ein gwlad ni ddoe, fel heddiw! Ar y cyfan, parhaodd yn drefnus ac yn drefnwr, ac i ddenu sylw a pharch ac edmygedd 'Hoelion wyth' Methodistiaeth. Fe briododd yn y man, a beichiogi, ond bu farw'n fuan ar ôl esgor ar blentyn, na fu byw ond pythefnos.

Oes yna unrhyw arwydd o afiechyd meddwl yma? A ydym am awgrymu mai rhyw droi oddi wrth y byd a wnaeth hi, oddi wrth rywun arbennig, oddi wrth wraidd ei thröedigaeth, ac iddi gasáu bywyd priodasol a nychu ynddo i farwolaeth? Awgrymu, efallai, fod arni ryw fath ar *anorexia nervosa* fel oedd ar Sarah Jacob o Bencader a nychodd i farwolaeth yng nghanol y ganrif ddiwethaf? Go brin. Gadewch inni ystyried ochr fwy corfforol ei hiechyd am eiliad. 'Lled wannaidd oedd ei hiechyd er yn blentyn,' medd cofiant Morris Davies, 'mewn gwaeledd yn fynych.'

Gellir maentumio fod falf mitral ei chalon wedi crebachu oherwydd y clefyd cryd cymalau, fel sy'n eithaf cyffredin, yn enwedig yn y dyddiau cyn dyfod triniaeth fodern. Fe fyddai hyn yn gyson â'r wedd 'gwyn a gwridog', a'r eiddilwch a berthynai iddi. Tuedda'r clwy yma i waethygu yn niwedd dauddegau ac yn nhridegau oed y claf, ac mae beichiogi ac esgor yn ddigon i dorri'r galon a'r corff eiddil—torri'r galon yn llythrennol felly. Mae'r syniad hwn yn cael ei ategu gan y disgrifiad o Ann yn dioddef 'dan ddiffyg anadl trwm, fel nas gallodd lefaru ond ychydig' yn ei dyddiau olaf. Rydw i'n weddol sicr mai o glefyd y galon y bu hi farw, mai o'r clefyd cryd cymalau a'i sgil-effeithiau ar ei chalon y tarddodd hwnnw, ac i'w beichiogrwydd a'r esgor yn ogystal ei gorchfygu hi, a chyfrif hefyd am wendid angheuol y plentyn bach a anwyd iddi.

Ond beth am yr hyn ddigwyddodd iddi adeg ei thröedigaeth? Beth am y gorfoleddu a'r gweledigaethau a'r encilio i'r penty ac oddi wrth bethau'r byd? Onid oes yma arwyddion o salwch, o salwch meddwl? Onid oedd yna nam ar ei phersonoliaeth oherwydd iddi golli ei mam, a bod ei thad a'i brodyr yn ymwneud gymaint â'r grefydd newydd, a'r chwiorydd dros y nyth? Onid chwilio am swcwr o ffigur tadol neu famol yr oedd hi wrth droi at ryw dduw, neu at y Parchedig John Hughes, Pontrobert? Onid atalnwydau, a throsglwyddo teimladau sydd yma, fel y dywed ambell seicolegydd am bobl sy'n ymddwyn fel y gwnaeth hi? Gellir, wrth reswm, wadu un ensyniad a wneid pe bai hi wedi byw heddiw: mai effeithiau cyffuriau oedd arni—onid ydym am gytuno â Karl Marx mai crefydd yw opiwm y werin!

Y mae'n wir mai adeg diwedd llencyndod y tueddir i gael y pwl cyntaf o wallgofrwydd, neu hyd yn oed o orffwylltra. Dyma adeg hefyd pryd y gellir trosglwyddo teimladau a serchiadau oddi ar rieni at arwyr newydd, y gellir delfrydu a mynd dros ben llestri wrth ddilyn nwydau; y gellir llwyrymwrthod â phethau'n ddireswm, neu feddwi ar sylweddau annheilwng.

Onid megis wedi meddwi yr oedd yr Apostolion ddiwrnod y Pentecost? Ac y mae digon o sôn an orfoleddu a gweledigaethau yn hanes holl saint mawr ein ffydd, o'r Apostol Paul hyd at y Santes Teresa. I rai pobl, wrth reswm, mae yna ateb syml i hyn: Paul yn dioddef o epilepsi, a Teresa'n hysterig. Sut mae gwahaniaethu, felly, rhwng y gwir a'r gau, rhwng y cyfiawn ar y naill law ac, ar y llall, y sâl eu meddwl, a'r rhai sy'n troi at ysbrydion aflan neu annheilwng, neu sydd mor ddisylwedd neu ddiragfur nes eu meddiannu gan unrhyw wynt sy'n digwydd chwythu ar y pryd? Rhaid inni wrth brennau mesur o ryw fath, rhai a all benderfynu a oes yna newid gwirioneddol sylfaenol wedi digwydd yn hanes y person a gafodd dröedigaeth, a hefyd fesur gwerth y newid hwnnw, gwerth y person newydd, yn ôl rhyw safon neu'i gilydd.

Ynghylch y cwestiwn o newid sylfaenol, gwirioneddol a chwestiwn iechyd meddwl, gellir defnyddio'r un pren mesur, i raddau helaeth, ag a awgrymir gan William James yn ei lyfr, sef yr hen bren mesur: 'Wrth eu ffrwythau yr adnabyddwch hwynt'. Wedi meddwi, megis, ar yr Ysbryd Glân fe aeth y cachgi a wadodd ei Arglwydd deirgwaith mewn un noson yn arwr a

128

fynnodd gael ei droi wyneb i waered cyn cael ei groeshoelio. Ac mae cynnyrch tröedigaeth Saul o Darsus yn hysbys inni i gyd.

Gwell inni osod ein pren mesur wrth y cwestiwn o iechyd meddwl Ann yn gyntaf, er mor gyndyn ydy seicolegwyr a seiciatryddion cyfrifol i gynnig diagnosis ar gyflwr pobl a fu farw heb iddyn nhw erioed eu cyfarfod. (Mae Van Gogh druan wedi dioddef yn enbyd o gwac-feddyga o'r fath.) Ond fe ellir edrych ar y dystiolaeth am Ann, yng *Nghofiant* John Hughes, ac ar gof gwlad, ac wedi ei chelu yng *Nghofiant* Morris Davies ac awduron eraill, ac yn bennaf yn ei gwaith hi ei hun.

Does dim arwydd o gwbl, hyd y gwelaf i, o'r hurtrwydd ynfyd yna yn ei hymddygiad, o'r aflerwch diwyg ac osgo a nodweddai wallgofrwydd; dim o'r colli arni'i hun a mynd dros ben llestri o ran uchelder nac iselder ysbryd a geir yng nghyfnodau lloerig a phruddglwyfus y dyn gorffwyll. Y mae lle i gymharu'r gweled-igaethau â drychiolaethau'r gwallgof, y gorfoleddu â lloerigrwydd, ond y mae gan Ann ddirnadaeth o'i sefyllfa fel nad oes gan y gwallgof na'r gorffwyll. Ac yn fwy pwysig fyth, y mae ffrwythau'r cynyrfiadau meddyliol a theimladol yn arddangos pwyll a rheswm, ac angerdd teimladau a dychymyg dan ddisgyblaeth— nid personoliaeth ar chwâl.

Cymharer hanes Ann Griffiths ag un Evan Roberts y diwygiwr. Y mae un seiciatrydd wedi astudio'i fywyd a'i waith o yn fanwl, wedi byw yn ymyl ei fro enedigol am gyfnod maith, wedi holi ei deulu, ei gâr a'i gyfathrach. Wedi dilyn ei lwybrau hefyd, wedi iddo ddiflannu oddi ar y llwyfan cyhoeddus ac encilio. Mae'r meddyg hwn yn weddol sicr fod rhywfaint o orffwylltra'n perthyn i Evan Roberts, ac i hwnnw ei oddiweddyd yn y diwedd.

Bid a fo am hynny, does dim lle i amau bod unpeth o'i le ar feddwl Ann. Fe arhosodd ei meddwl hi yn eglur. Hyd yn oed pan fu'i theimladau'n ddryslyd, yr oedd ei hymatebion yn gryf ac anghyffredin, ond bob amser yn briodol yn ôl ei hathroniaeth bywyd. Wedi ei thröedigaeth, fe gyfansoddodd yr emynau hynny, y salmau a'r carolau, sydd mor fanwl ac mor eang eu gweledigaeth, yn llawn o iaith a dychymyg bywiog a choeth, sy'n medru cwmpasu a chyfuno paradocsau, yn medru priodi delweddau dieithr, os nad anghydnaws, â'i gilydd; yr holl beth yn adeilad, er mor fach, sy'n aruthrol ei rychwant a'i ehangder a'i bensaernïaeth, ac eto ag iddo fanylion cywrain wedi eu tynnu o'r *Hen Destament* a'r *Testament Newydd*, a'u cyfosod mewn trefn mor feiddgar a rhesymegol. Tebyg i'r hyn a geid mewn eglwys gadeiriol fechan ganoloesol.

Y mae ei gwaith, drwyddo draw, yn dangos ei bod hi wedi cadw perthynas iach rhwng ei theimladau a'i deall a'i hewyllys, ei nwydau a'i delfrydau, ac wedi defnyddio'r tyndrâu rhyngddynt er mwyn creu barddoniaeth aruchel. Yr oedd ynddi hi, fel yn Hu Sant, gyfuniad rhyfeddol o angerdd teimlad a nerth meddwl.

Wel, os nad afiechyd meddwl, nac ychwaith rhyw ffug dröedigaeth 'Come to the Guru Jesus' a ddigwyddodd i Ann Griffiths, beth oedd natur yr hyn ddigwyddodd iddi? A oedd iddo elfennau o'r hyn a ddisgrifiwyd gan Saunders Lewis, yn ei lyfr ar Pantycelyn, yn dröedigaeth llanc? Wrth iddo drafod Theomemphus dywedodd mai 'stori llanc synhwyrus' a gafwyd, 'hanes un a aned yn fardd, a chanddo fywiogrwydd dychymyg a rhyferthwy nwydau', hanes ymwybyddiaeth dra goddrychol a mewnblygol. Mae'r nodweddion a ddisgrifir wedyn yn gyfarwydd i William James. Fel hyn y nodir nhw ganddo fo: 'Ymdeimlad o annigonolrwydd ac amherffeithrwydd; hel meddyliau; iselder ysbryd; mewn-ddrychiad morbid; ymdeimlad o bechod; pryder am y dyfodol; amheuon gofidus'—y rhain i gyd, noder, cyn y dröedigaeth. Ac ar ei hôl? 'Rhyddhad dedwydd a gwrth-rycholrwydd, fel y cynydda'r hunanhyder drwy i gyneddfau'r person ymaddasu i'r weledigaeth ehangach.' Dydw i ddim yn gweld cyfatebiaeth agos rhwng cyflwr Ann, cyn ei thröedigaeth nac ar ei hôl, â'r disgrifiad yna. Nid yw ei hanes yn debyg chwaith i'r hyn a ddisgrifir fel tröedigaeth *arferol*: 'Cael eich ail-genhedlu; derbyn gras; profi crefydd; ennill hyder', neu un o'r aml ddywediadau cyffelyb. Esbonnir yn yr achosion hynny fod yr hunan a oedd tan hynny yn 'hollt, ac yn ymwybodol anghyflawn, yn israddol ac annedwydd, yn cael ei unoli, ac yn dod yn ymwybodol gyfun, uwchradd a dedwydd, oherwydd ei afael, bellach, ar wirioneddau crefyddol'. Mae yna beth hunan-gyflyru'n perthyn i'r weithred ac, yn amlach na pheidio, ceir *jam* emosiynol ar y profiad. Onid dyma'r math o dröedigaeth a gafodd John Wesley, yn ôl disgrifiad gan y Parchedig Athro G. A. Edwards yn *Y Traethodydd* ym 1938, a Howell Harris yntau? Nid dyma welaf *i* yn hanes Ann o Ddolwar Fach.

Hwyrach fod yn well inni edrych yn uwch ar risiau'r hyn a elwir yn sancteiddrwydd: ar yr Apostol Paul, efallai. Fel y dywed William James, fe 'chwyldröwyd ei fywyd o, mewn awyrgylch o

130

gynnwrf emosiynol aruthrol, â'r synhwyrau wedi'u cythruddo, ac ar amrantiad fe sefydlwyd hollt rhwng yr hen fywyd a'r un newydd'. Ni fu raid wrth lam ffydd Kierkegaard; fe ddigwyddodd y peth, a'i ôl yn barhaus. Ond nid symud o ansicrwydd annedwydd i sicrwydd dedwydd a fu.

I fynd yn ôl at y syniad yna o faes ymwybyddiaeth. Nid chwalu popeth a wnaed yn hanes Paul, na thaflu golau o liw gwahanol dros bob peth, ond newid y canolbwynt, a'r patrwm yn newid o'r herwydd. Os nad oedd dim o'i le ar feddwl Ann, fe newidiwyd lle pethau—neu'r gwrthrychau ynddo, y blaenoriaethau'n newid yn sydyn ac yn barhaol, gan achosi cynnwrf mawr yn naturiol ddigon.

Wrth i unrhyw beth ymyrryd yn sylfaenol ac yn sydyn â threfn pethau yn y meddwl, fe ymdrechir i ailsefydlogi'r sefyllfa a'i ailgyfannu yn ôl y patrwm gwreiddiol, drwy ddrychiolaethu, a thrwy ffoi oddi wrth realaeth. Pobl yn teimlo cosi mewn coes a drychwyd, er enghraifft; gweddw yn *gweld* ac yn *clywed* ei phriod coll yng nghyfnodau mwyaf egr ei galar. Ac o newid yn sylfaenol sefyllfa'r hyn a geir ar faes ymwybyddiaeth, fe grëir stormydd a gweledigaethau a breuddwydion bywiog ac anhrefnus, yn enwedig os mai pethau canolog a symudwyd.

Y broblem ydy pam y symudodd pethau o gwbl, sut y symudwyd y canolbwynt, y darn mwyaf sefydlog mewn llawer achos? Ac nid dim ond ei symud, ond ei ddadwreiddio a'i ailblannu'n gadarn a disyfl—fel craig yr oesoedd—mewn lle newydd. O achos fe arhosodd Paul, ac Ann hithau, yn ffyddlon i'r drefn a'r wedd newydd ar fywyd a dderbyniwyd ganddyn nhw adeg eu tröedigaeth.

Mae'n wir fod rhywfaint o nodweddion tröedigaeth llanc i'w gweld yn hanes Ann, a hefyd beth o naws y tröedigaethau oedd yn weddol gyffredin yn y mudiad efengylaidd yn y ddeunawfed ganrif: yr elfen o ennill bywyd gwell, o deimlo'n fwy cytûn a gobeithiol fel y gwnaeth Harris a Wesley. Yr oedd yna hefyd elfen o ymddifrifoli. Ymateb i'r hyn a ddisgrifir gan Ian Bradley yn ei lyfr diweddar ar *The Call to Seriousness*. Galwad oedd yn un naturiol i bobl oedd yn dechrau cael addysg, a byw'n gadwrus a pharchus, ymateb iddi. Yr oedd yr hen gymdeithas wedi llacio'i gafael ar ei gwreiddiau, yn enwedig mewn rhai mannau. Eglwyswyr yn dathlu gwyliau mabsant heb gredu bellach 'yng Nghymun y Saint . . . a'r Bywyd tragwyddol'. Yr oedd 'yr ardd yn wywedig', chwedl Ann Griffiths. Fe ymddifrifolodd hi, fel ei thad a'i brodyr. Fe ystyriodd ei distadledd ei hunan. Daeth yn ymwybodol o bechod. Fe welodd natur bechadurus ddichonadwy serch, ymserchu mewn dillad, hwyl dawnsio a chanu a gwledda ac englyna a chellwair caru, heb iddo erioed fod wedi ymroi'n bechadur i'r un ohonyn nhw, hyd yn oed yn ei meddwl. A dichon mai'r prif bechod iddi hi, fel i lawer un arall yn ei chyfnod, oedd afradlondeb. Ymserchu mewn pobl a sylweddau annheilwng, yn lle'r unig wrthrych teilwng o'i holl fryd. Gwastraffu'r talentau a roddwyd iddi i fod yn stiward arnynt; eu hafradu megis rhoi'r cibau i'r moch.

I mi, er hynny, nid dim ond ymddifrifoli sydd yn hanes Ann. Nid troi oddi wrth afradlonedd buchedd a cheisio gwneud iawn ar ôl cael gwedd newydd ar fywyd. Gwell gen i weld y peth mawr a ddigwyddodd iddi hi yn nhermau perthynas, ac mae seicolegwyr a seiciatryddion yn hapusach wrth feddwl am bethau fel y'u hamlygir nhw ym mherthynas pobl â'i gilydd. Bwriwn fod yna Dduw; nad tröedigaeth yn tarddu, fel y dywedai Freud, o natur y bersonoliaeth sydd yma, nad ffenomen gymdeithasol fel yr hawliai rhywun megis Wundt, ond ymyrraeth dwyfol, prociad bach cudd gan yr Ysbryd Glân, dyweder, yn symud canolbwynt ei meddyliau. Wedyn fe ellid edrych ar ei thröedigaeth fel dychwelyd, ar wahoddiad y tad, yn ferch afradlon yn dod yn ôl at rieni maddeugar. Oblegid er gwaeled cyflwr crefydd mewn rhannau o'r wlad cyn y Diwygiad Methodistaidd, ac er yr holl wawdio a fu ar ddifrifoldeb ynghylch crefydd gan y curad lleol, er yr holl edwino a fu ar ddiwinyddiaeth a chrefydda, yr oedd Ann wedi ei bedyddio, ac argraff y Drindod wedi ei selio ar ei natur. A chofier mor bwysig yr ystyrid bedydd babanod gan bobl y cyfnod; yr oedd Methodistiaid megis Ann a'i gŵr yn mynnu gweinidog Annibynnol lleol er mwyn bedyddio'r baban bach oedd mewn perygl bywyd. Yr oedd egin y bywyd a elwir gan Gristnogion yn oruwchnaturiol yn Ann eisoes felly cyn ei thröedigaeth, ac fe'i magwyd i fynychu moddion gras yn selog. Yn wir, pan ddaeth hi i adnabod yr hyn a alwai hi y Gair, yr oedd hi eisoes yn gwybod y geiriau cymwys ar gyfer ei addoli a'i foli. Fe'u dysgodd o'r *Llyfr Gweddi*, o lyfrau diwinyddol ac oddi wrth y Parchedig John Hughes a phregethwyr eraill y cyfnod, ac yn bennaf o *Feibl* William Morgan.

Ystyr dod adref at y tad fel hyn yn y ddameg ydy nid yn unig fod y plentyn yn dychwelyd at ei dad maddeugar, a rhyfeddu at rinweddau awdur ei fod a'i gynhaliwr helaeth, ond yn ogystal fod y plentyn yn dod ato'i hun, yn ei weld ei hun nid fel y mae'r tad yn mynnu edrych arno o'i gariad, ond yn wrthrychol fel y mae o'n ymddangos o sefyllfa'r tad. O'r fan honno, creadur go feidrol ac annheilwng ydy'r mab, er iddo ddod adref o'r diwedd. Teimlad llethol fyddai sylweddoli hynny; rhywbeth tebyg i'r hyn a deimlai Esther wrth i'r deyrnwialen aur gael ei hestyn tuag ati. Ac os mai Duw ei hun oedd y Tad, yna buasai'r teimlad o amherffeithrwydd yn un angerddol, megis y dyhead am fod yn bur. Os bu i Ann Griffiths gael dirnadaeth o'r fath, dirnadaeth yr anelwn ni oll sy'n Gristnogion ati, ac a gawn ni, gobeithio, o leiaf y tu draw i'r llen, yna buasai sylweddoli sut un oedd hi yng ngŵydd Duw yn burdan ar ei chnawd hi, yn fflam ysol. Ni fyddai mwyach 'ond un archoll a fai'n erchyll fyth, sef colli bod yn sant'. Ac fe esboniai hyn yr holl ysgytiadau a fu wedyn yn ei hanes wrth i'r Ysbryd Glân, y teimlodd hi ei wres, ailgynnau tân ar ei hen aelwyd ac, yng ngeiriau Saunders Lewis am Mair Fadlen:

> ... haearneiddio'r sant drwy gur ar gur,
> ... erlid y cnawd i'w gaer yn yr enaid, a'i dref
> Yn yr ysbryd nefol, a'i ffau yn y santeiddiolaf ...

Dydy tröedigaeth fel un Ann, sy'n gweithio drwy'r deall yn bennaf, sy'n goleuo cyn puro ar gyfer yr uno, ddim yn un sy'n dileu amheuon, nac yn cyfrannu dedwyddwch parhaus yn y byd yma.

> Mae 'na gariad i'w gael
> Nad yw'n ddigonol,
> Onid yw, doed a ddelo,
> Yn gariad gormodol.

> Cariad mwy creulon
> Na phoen a phangau,
> Sy'n dechrau'n angerdd
> A diweddu'n angau.

chwedl Rhydwen Williams yn ei gerdd 'Kitch'. Fe fu'n rhaid i Ann hithau gario'i chroes: treulio sawl nos dywyll yn hanes ei henaid, llamu nid fel yr hydd, ond mewn ffydd allan o sawl pwll anobaith a dyffryn dagrau yn ystod yr oes fer oedd ar ôl iddi. Does dim rhaid i bobl fel hi wrth swcwr o'u crefydd, ac mae lle i iselder ysbryd yn nhrefn achub dynion: 'golau arall yw tywyllwch i arddangos gwir brydferthwch . . .'. Gadawyd Ann yn unig sawl gwaith, a bu'n rhaid iddi chwalu eilunod y byd a'i natur hi ei hun, gan gynnwys y ddirnadaeth aruthrol a ddaeth i'w rhan fod hyd yn oed ei dychymyg yn medru bod yn rhwystr, yn rhwyll ar ei golwg wrth iddi geisio dyfalu Duw, yn lle'i dderbyn. Dechrau ei adnabod, yn hytrach na gwybod amdano. Yma, wrth iddi geisio ymddiosg hyd yn oed o fendithion ysbrydol, fel y dywed Ioan y Groes, y daeth Ann Griffiths agosaf at gyfriniaeth Gristnogol.

Nid ar ei phen ei hun, mewn termau dynol felly, y gwnâi hi hyn, wrth reswm. Roedd yna weithgareddau ar y cyd, o gadw dyletswydd i fynychu Sacrament y Swper Olaf a chadw seiat. Yr oedd yna *hwyl* yn ogystal â difrifoldeb, ac yn y seiat fe gryfheid ei hymwybyddiaeth a'i hymroddiad, a dyrchafu ei hewyllys a'i deall gan gydernes rhai o gyffelyb fryd. Yr oedd yna rywbeth mawr yn digwydd i ran o'i chymdeithas, yn wir i genedl gyfan, fel ag i Ann. A rhaid cyfaddef ei bod hi'n ofnadwy o anodd esbonio'r peth heb gydnabod ymyrraeth dwyfol; fel ffôn yn canu a rhyw *deus ex machina* ar ei ben arall. Yr oedd Ann yn sefyll allan yn un o'r eneidiau dethol hyd yn oed yn y cyfnod hwn o frwdaniaeth ac o wneud pethau mawrion i eneidiau dynion. Roedd hi'n un o'r bobl y mae crefydd yn heintus ynddyn nhw, nes dylanwadu nid yn unig ar ei chydnabod, ond ar gwrs hanes.

Down at gwestiwn cyfriniaeth. Mae'n fater technegol, ac fe ysbeiliwyd y gair cyfriniaeth o lawer o'i ystyr wrth ei ddefnyddio i ddisgrifio pethau mor amrywiol â barddoniaeth Islwyn, y profiad a ddisgrifir yn ysgrif Parry-Williams, 'Ceiliog Pen-y-Pàs' ac, er enghraifft, yn llyfr Daniel Williams, *Teithi Meddwl Ann Griffiths*, unrhyw brofiad crefyddol dwys. Profiadau sy'n amlach na pheidio'n rhai theistaidd, teimladol yn unig.

I mi, o leiaf, rhywbeth i ymgyrraedd ato ris wrth ris ydy'r profiad cyfriniol Cristnogol. Y profiad o adnabod Duw, ei weld, a marw i'r hunan heb beidio â bod. Uniad cyfrin â gwrthrych teilwng y gellir yn ddiogel adael i'r holl nwydau chwarae eu bysedd cun er gorfoledd iddo. Yn sicr, mae'n llwybr caled ac yn un llawn-amser. Go brin y gallai merch oedd yn cadw tŷ i'w thad, ac wedyn yn wraig briod feichiog, ymroi i'r fath raddau ag y gwnaeth y Santes Teresa, er enghraifft. Mae'n wir i honno wneud llawer o waith trefnu, ond roedd hi wedi gweddïo'n daer ac yn drefnus am flynyddoedd lawer, fore, nawn a nos, am ras i gyflawni llwybr y goleuo a'r puro nes cyrraedd yr uno. Dyfynnaf ei geiriau yng Nghymraeg y Parchedig J. Ellis Jones, yn *Y Traethodydd* (Gorffennaf 1946):

> Mor fyw oedd yr ymdeimlad o Dduw fel y teimlwn fy hun wedi fy llwyr feddiannu. Geilw rhai ef yn brofiad cyfriniol. Ni wn ai dyna yw. Eithr hyn a wn, meddiannwyd fy holl gyneddfau gan Dduw. Yr ewyllys yn unig a gedwais am dymor i mi fy hun, ac enillwyd honno gan ei gariad Ef. Byr y parhaodd yr angerdd, ac nid fy ymdrech i a'i cadwodd. Gwelsoch ddiffodd gwreichion pren llosg trwy ddodi pwysau arnynt. Felly'n union fy ymdrech innau. (t.136)

'Dyma gwlwm', chwedl Pantycelyn, 'nad oes iaith a'i dyd i maes.' A dyna, yn ôl William James yntau un o nodweddion cyfriniaeth lle bynnag yr astudir hi. Fe restra'r rhai eraill: y ffaith fod y profiad cyfriniol yn cynnwys dirnad a deall gwirioneddau na allodd y meddwl ymchwiliol eu canfod. Dywedir fod y profiadau'n fyrhoedlog, heb fyth bron bara'n hirach na hanner awr. Ac ni chofir eu natur yn fanwl er gallu eu hadnabod yn syth pan ddychwelant, a medru symud ymlaen ar sail y profiad blaenorol. Nid oes dim y gall y creadur ei wneud i hybu'r profiad, na'i gyfeirio tra bo ynddo.

Yn ddiau fe ddyheai Ann am brofiadau o'r fath. Ond go brin y gellir ei galw'n gyfrinydd, dybiwn i.

Dydy hynny ddim yn ei gwneud hi gufydd yn llai o faintioli yn nheyrnas Dduw, wrth reswm, nac yn nheyrnas seicolegwyr. Yr oedd ganddi, yn sicr, nodweddion sancteiddrwydd; yr oedd hi, y mae hi yn hytrach, yn fy meddwl i o leiaf, yn Sêt Fawr y gynulleidfa sydd wedi cyrraedd y profiad cyfriniol tragwyddol. Yr oedd iddi briodoleddau yr hyn a elwir yn sancteiddrwydd hyd yn oed gan seicolegwyr. Dyma ni wedi cyrraedd ein hail bren mesur, yr un sy'n gweld faint o werth dynol, os nad dwyfol, sydd i fywyd rhywun wedi cael tröedigaeth. Dyfynnaf y priodoleddau fel y'u ceir yn yr efengyl yn ôl James. Dyma nhw: yn gyntaf, yr ymwybyddiaeth o fod ar lwyfan ehangach na dim ond un y byd yma, a bod ag argyhoeddiad, nid yn unig o ran deallusrwydd, fod yna Rym Delfrydol, Duw i'r Cristion. Yn ail, ymdeimlad fod y Duw yma'n llifo i fewn i'n bywyd ninnau fel cyfaill, a bod yn fodlon ymroi i'w reolaeth. Eto, dyrchafiad ysbryd amlwg ac ymdeimlad o ryddid fel yr ymdodda terfynau cyfyngol yr hunan. Wedyn, symudiad emosiynol tuag at garu a byw'n gytûn. Effeithiau hynna i gyd, meddai James, yw asgetiaeth, nerth enaid gan gynnwys cyraeddiadau anhygoel o ran amynedd a gwroldeb. Wedyn 'purdeb' a'r olaf o'r 'rhinweddau' megis a restrir ganddo ydy 'caredigrwydd a goddefgarwch'.

Does fawr o le i amau fod Ann yn rhyw lun ar sant yng ngolwg seicolegwyr tebyg i James, a chrefyddwyr, a hyd yn oed seiciatryddion Pabyddol! Ac rwy'n amau'n fawr ai rhamantu yr ydw i wrth ddweud hyn'na. Yr oedd Ann yn dibrisio galwad yr hyn nad oedd ond yn fydol, hyd yn oed ei thalentau ei hunan pan oeddynt yn rhwyll ar ei llygaid mewnol. Yr oedd hi'n wrol wrth fynnu gan dad faddau a chan bregethwyr gadw at eu dyletswyddau, heb sôn am wynebu cystuddiau yn ei henaid ac afiechyd corfforol dybryd. Yr oedd ei dyhead am burdeb yn angerddol (a heb unrhyw ôl Manichëaeth; dim ond ei bod am unioni popeth yn yr Iawn ei hun). Ac mi dybiwn i fod ei chymhellion yn rhyfeddol o bur gydol ei bywyd. Y mae yna dystiolaeth hefyd o'i charedigrwydd a'i goddefgarwch tuag at ei gŵr a'i chwaer esgymun, ac at Ruth.

Yr oedd ganddi, yn ogystal, er mor ostyngedig oedd hi ynghylch hynny, ymwybyddiaeth ryfeddol o holl batrwm y drefn o Dri yn Un, ac un mewn dwy natur, ac o briodoleddau'r Iawn gaed ar Galfaria. Rhyfeddodd ato, a threiddio i adnabyddiaeth hollol anghyffredin ohono. Yn ei diwinyddiaeth hi yr ydym ni oll, o bob enwad o'r Dwyrain a'r Gorllewin, yn cael cipolwg ar gyflawnder ein ffydd, a gollwyd gennym oll i ryw raddau oherwydd ein rhaniadau. Does ond eisiau inni astudio ei disgrifiadau o natur a swyddogaeth yr Ysbryd Glân, pwnc a esbonnir yn eglur a manwl yn *Cyffes Ffydd* 1823, a phwnc a achosodd y rhwyg mawr rhwng yr Eglwys Uniongred yn y Dwyrain ac Eglwys Rufain.

Does dim rhaid wrth sancteiddrwydd i sgrifennu amdano, wrth reswm, ond pan fo tystiolaeth yn ogystal i rinweddau buchedd yr awdur, a phan fo cysondeb mor agos rhwng honno a'r farddoniaeth a'r llythyrau, fel a gafwyd yn hanes Ioan y Groes yntau, yna mae lle i faentumio fod yr awdur ei hun, o bosib, yn sant.

Ynghylch ei phriodas, fe awgrymwyd yn ddigon rhyfedd na fedrai ei chariad at ei Gwaredwr fod yn bur os oedd hi'n gallu priodi. Hwyrach nad fflam ysol oedd ei chariad at Thomas

Griffiths, a'i bod yn ei gymryd, er mor gymwys oedd o, o ran pryd a gwedd, crefydd a safle cymdeithasol, ac yn ei briodi er mwyn cael cefn a chwmni yn ogystal â thad i'w phlant. Ond y mae beirdd crefyddol eraill, megis Raissa Maritain, er enghraifft, wedi medru cyfuno cariad bywiog a nwydus at briod â chariad eirias at berson y Gwaredwr.

Mae'n deg i mi drafod, hefyd, y pwnc a drafodir gan y Canon Allchin yn ei lyfr ar Ann Griffiths yn y gyfres *Writers of Wales*; y syniad y gallai Ann fod wedi ei chyflawni'i hun o ran anian a nod mewn lleiandy cloëdig. Duw a ŵyr. Yr oeddwn i wedi ystyried y peth wrth ddarllen llyfr Morris Davies. Pwy sy'n cofio'i ddisgrifiad? 'Pe buasai hi yn yr Eglwys Babaidd, yn cael ei chadw yn ddieithr i'r Ysgrythyrau, gyda'r teimladau bywiog a thanbaid oedd ganddi, mae'n debyg y buasai yn un o'r rhai mwyaf penboeth a choelgrefyddol. Dan amgylchiadau felly, gwnaethai un o "Chwiorydd y Galon Gyssegredig", ac ond odid fam-abades mewn lleiandy—yn ymroddgar i ffurfiau, defodau, a phenydiau ofer; ond yn gwbl heb Grist, ac yn ddieithr i brofiad o'i gariad a'i ras, ac awyddfryd enaid i fyw a marw er ei ogoniant: ac yn lle "Hymnau o fawl i Dduw ac i'r Oen", ni chawsid dim ganddi heb law ail adroddiadau parhaus o'r *Ave Maria*, a chyfrif paderau yn ddiddiwedd, dan arweiniad twyllodrus y tadgyffesydd, a dylanwad dallbleidiaeth offeiriadol. Dedwydd hi, am ei geni yng ngwlad efengyl, gwlad y Beiblau a rhyddid crefyddol!' Go brin fod y Santes Teresa'n gwbl heb Grist nac yn ddieithr i brofiad o'i gariad a'i ras, yn ôl y Parchedig Ellis Jones o leiaf.

Beth bynnag am hyn'na i gyd, yr oedd Ann Griffiths yn dyheu i ryw raddau am yr hyn a gyflawnwyd gan Teresa, am dreulio'i dyddiau 'yn fywyd o ddyrchafu ei waed'; o 'ymddifyrru yn ei Berson' a syllu arno; yfed beunydd 'o ffrydiau'r Iechydwriaeth fawr'; 'byw dan ddisgwyl am [ei] Harglwydd,/bod, pan ddêl, yn ef[f]ro Iawn,/i agoryd iddo'n ebrwydd/a mwynhau ei ddelw'n llawn'; 'treiddio i'r adnabyddiaeth' nes lladd 'dychmygon o bob rhyw'; 'ymostwng i'w Ewyllys'; 'edrych/gyd â'r Angylion fry,/i drefn yr Iechydwriaeth' a chael ar y diwedd 'fynd i wledda tros y terfyn' a 'gweld Duw mewn cnawd' a'i gydaddoli gyda'r angylion 'heb im gefnu arno mwy'. Fel y dywedodd yn ei llythyr at yr 'Anwyl Chwaer'—'rwif yn gweled mwy o angen nac erioed am gael treilio y rhan Su yn ol dan rhoi fy hun yn feunyddiol ac yn barhaus, gorph ac enaid, i ofal yr hwn Su yn abal i gadw yr hyn

137

a roddir ato erbyn y dydd hwnw. Nid rhoi fy hun unwaith, ond byw dan roi fy hun, hyd nes ac wrth roi yr tabernacle hwn heibio. Anwyl chwaer, mae meddwl am i roi o heibio yn felus neillduol weithiau, gallaf ddweyd mai hyn sudd yn fy lloni fwy[a]f o bob peth y dyddiau hyn, nid marw ynddo ei hun, ond yr elw mawr Sudd i'w gael trwyddo. Cael gadel ar ol bob tueddiad croes i ewyllis Duw, gadel ar ol bob gallu i ddianrhydeddu deddf Duw, bob gwendid yn cael ei lyncu i fynu gan nerth, cael cydymffurfiad cyflawn ar gyfraith yr hon Sudd eusoes ar ei chalon a mwynhau delw Duw am byth ... '

Tueddaf i gredu, fel Rhiannon Davies Jones ac eraill, i Ann Griffiths gael llencyndod normal, ac mai wedi ei thröedigaeth y daeth hi i ddyheu am y purdeb goruwchnaturiol hwnnw, am gydymffurfio'n fanwl â manylion deddf Duw—yr oedd hi'n fanylwraig o'i chrud, cofier. Ffrwyth ei thröedigaeth oedd yr awydd angerddol am fod yn briod i'r Mab, yn frawd i'r Ysbryd ac yn blentyn i'r Tad. Ni fedraf dderbyn mai erotig oedd hanfod natur ei theimladau at ei chymar enaid, y Parchedig John Hughes, Pontrobert, a oedd yn fwy o Dr Alethius iddi, neu'n Dad Gonffeswr, a defnyddio gair Miss Davies Jones, na chwaith dderbyn fod yr elfen erotig yn arglwyddiaethu yn ei theimladau tuag at ei Duw. Yr oedd yr erotig yno, wedi ei ddyrchafu a'i buro—geiriau hynod i'n hoes ni yn ddiau—yno yn yr awydd, nid i ymdoddi a derbyn ei chariad ond i ymroi yn barhaus iddo; 'byw dan roddi'.

Fe soniodd Saunders Lewis am ffordd y goleuo, y puro a'r uno, ffordd Sant Bonafentur ac eraill, wrth iddo drafod *Theomemphus*. Mae'n sicr mai yn blith draphlith drwy'i gilydd y goleuid ac y purid, os nad yr unid yr enaid byrbwyll ond triw hwnnw â'i Dduw. Fe gyhuddodd y Prifathro R. Tudur Jones Saunders Lewis o 'lusgo Pantycelyn gerfydd ei glust i'r gyffesgell'. Dydw i ddim am lusgo Ann Griffiths i leiandy, ond y mae yna le i gredu y byddai hi wedi cael modd i fyw, a moddion gras, o fywyd lleiandy myfyriol, lle yr ymroddid yn drefnus a disgybledig i dramwy ffordd anodd a llesg y goleuo ar y deall, y puro ar yr ewyllys a'r ymgyrraedd at uniad â'r dwyfol. Mynd at Dduw, nid 'yn gymaint ag i chwi ei wneud i un o'r lleiaf o'r rhain, fy mrodyr', ond yn uniongyrchol. Mae yna alwad o'r fath, yn ôl fy nghred i o leiaf, galwad i'r rhai sy wedi syrthio mewn cariad â Chariad ei hun. Y mae gwaith Ann Griffiths yn taro tant yng nghalonnau llawer iawn o'r lleianod a'r mynaich a gafodd y fraint o ddarllen ei gwaith.

Sut bynnag am hynny, ein braint ni oll ydy cydnabod yr hyn a gyflawnodd Ann Griffiths yn ei gwaith a'i bywyd. Deallodd natur seicolegol ac anianol dyn yn well na'r rhelyw mawr o wybodusion y byd, nid yn unig drwy ei hastudio'i hunan yn fanwl, â llygad barcud, ond hefyd drwy ddysgu o law ein Gwneuthurwr. Gwelodd ynddi ei hun, mewn ffydd, yr hyn a allai Duw ei wneud â'i heiddilwch. Ac er iddi gredu nad oedd hi fawr uwchlaw'r byd anifeilaidd y cyfranogwn ni oll ohono, yn ei bywyd ac yn ei gwaith fe amlygodd hi yr hyn y gall dynion fod: dim ond ychydig yn is na'r angylion, yn greaduriaid ysblennydd o ran nerth ewyllys, llewyrch deall, creadigrwydd dychymyg ac, yn bennaf oll, o ran caredigrwydd tuag at ei gilydd.

Diolch i Dduw amdani; yn santes mae'n debyg, yn llusern i arddangos gwychder ei Chreawdwr, ac yn oleudy i ninnau ar ein pererindod i'n Mecca dragwyddol.

(Darlith mewn cynhadledd yng Ngregynog)

19 Offeren Bangor

Dyrchafaf fy llygaid . . . a dyma nhw: o'r Carneddi i'r Wyddfa.
Fy nghefndir a'm cadernid yn un panorama wrth imi gerdded
drwy'r Ffriddoedd i gyfarfod fy Nghreawdwr yn sagrafennaidd
ar fore Sul.

Cofio i'm taid ar ochr fy Mam orfod croesi Moel Wnion i gael
gwraig o Aber-gwyn-gregyn, a chroesi Mynydd Llandygái i
gystadlu yn erbyn fy nhaid arall—ac eraill—am ganu tenor yng
Nghapel Glasgoed, rhwng Penisarwaun, lle magwyd 'Nhad, a
Rhiwlas, lle magwyd Mam. Dyma finnau newydd groesi'r don o
Fôn lle bu rhai o deulu 'Nhad yn chwilio am gymar yn y rhan o'r
ynys sy'n ymylu ar Aber-menai. Bûm innau dros lawer môr, ac yn
byw yn Iwerddon, lle cefais y ffydd sy'n fy nwyn i'r addoldy
anghyfiaith yma ym Mangor heddiw.

Fy Nhad yn Eglwyswr fel cynifer o'i hynafiaid a'r gymdogaeth
o gylch traed yr Wyddfa; Mam a'i theulu yn Bresbyteriaid o
Ddyffryn Ogwen, ac â gwreiddiau Albanaidd, a minnau, drwy
ryw ryfedd dro ar fyd, yn Babydd! Yr Hen Fam, yr Hen Gorff,
a'r Hen Ffydd mewn un trindod o deulu! Ond fi sydd wedi troi,
neu ddychwelyd, neu lamu'r dibyn ar un o wyliau Gwenfrewi,
mewn eglwys Iesuol yn ninas Joyce, yn 1958! Beth pe bawn innau
wedi fy magu mewn awyrgylch llethol fel fo, a chlywed yr hen
bregethu tân a brwmstan yna? Ond cefnu ar ddiddymdra di-
ffydd wnes i, nid cefnu ar yr hyn a draddodwyd imi dros bron
ddwy fil o flynyddoedd. Dewis perthyn. Gweithred bendant,
sydyn, derfynol ei naws, ond heb hualau. Wedyn daeth y
sylweddoli—fel priodas: y ffydd yn pylu, dro arall yn tyfu, yn tin-
droi neu'n symud, ond yn rhyw deithio ymlaen doed a ddelo
—'prawf o ran pererin'.

Dyma Fangor, a'r *Plaza* lle bûm yn rhythu ar ryfeddodau ffals
ffilmiau fy mebyd, ar ramantau arallfydol am hawddfyd
Americanaidd pan oedd y rhyfel a'r cyni ar ei ôl yn pwyso arnom
ni yn Ewrop. Heddiw mae'r lle'n fud, ond bod rhagflas o ryw
erchyll-ffilm ar boster y tu allan. Lle llwm ydy Pendref yr
Annibynwyr yn ôl ei du allan, ond mae yna sŵn canu brwd,
eneiniedig yn treiddio ohono ac yn fy nenu—ac nid dim ond am
ei fod yn fy mhriod iaith, a minnau ar fin boddi mewn Saesneg

140

I fewn â mi cyn dechrau gofidio am y peth, a phlygu glin i Dduw'r Cyfamod Newydd yn ei Dabernacl. Does neb bron rydw i'n ei nabod yma, neb â'i wreiddiau'n ddwfn iawn yn Arfon nac ym Môn, er i rai ohonyn nhw fyw yma ers cenhedlaeth neu ddwy gyda dyfodiad y rheilffordd.

Mae'r adeilad fel hen gapel, nes i rywun gael y syniad gwych o dynnu'r plastr oddi ar rai o'r muriau a chnocio bylchau er mwyn creu bwâu a phileri. Yr holl beth yn gatholig ei apêl i'r synhwyrau erbyn hyn, o ran lliw a gwedd ac addurn dethol. Ôl dylanwad sawl cyfnod a lle, gyda llechen yr ardal yn amlwg.

Cloch! 'Gwŷs groch gwas sy gry . . .' Beth a ŵyr y rhain am awdlau'r ffydd neu'r Awdl i Archesgob Caerdydd, Michael McGrath, y Gwyddel Cymraeg a fu'n gurad yma am gyfnod? Y Tad Oswald Murphy sy'n gorymdeithio i fewn rŵan y tu ôl i'r ddau was allor.

Oswald Murphy. Murphy: ie, gweddol amlwg. Ond Oswald? Go brin mai'r hen gymysgu ydyw rhwng Oswallt a mab Cunedda. Ta waeth! Sais ydy'r henwr mursennaidd ei osgo sy'n gweini yma'r bore hwn. Sais neu fwngrel, ac alltud yn ogystal. Dyna'n sefyllfa ni'n union. Cynulleidfa o bobl ar chwâl yn ddiwylliadol, a rhai, yn ôl eu hwynebau Slafaidd ac Eidalaidd neu'u hacenion Seisnig, yn ffoaduriaid o'u cynefin cenedlaethol.

Y Pab Ioan XXIII annwyl, o bawb, a ddaeth â'r anfri Saesneg yma ar ein gwarthaf ni. O leiaf, roedd Lladin yr un peth i bawb. Y pab addfwyn, a welais i yn pigo'i drwyn wrth dynnu coes y pererinion milwrol hynny yn un o gynteddau'r Fatican un tro, hwnnw wedi gorseddu iaith y goresgynwyr a'r dyn-dŵad yn eglwysi Pabyddol ein hardaloedd Cymreiciaf hyd yn oed. Y pab a oedd wedi agor y drysau a'r ffenestri i adael i'r Goleuni fwrw'i lewyrch i bob congl, a'r ysbryd i chwythu tân o'r hen farwor ac ymlid y gwe pryf cop a'r llwch.

Gweledigaeth oleuedig ac ysbrydoledig; rhyw ail Bentecost i ran fawr o'r ddynoliaeth. Ond, yn wahanol i'r Parthiaid, y Mediaid, yr Elimitiaid, a thrigolion Mesopotamia a Jwdea a Chapadocia, Pontus, ac Asia, Phrygia a Phamffylia, yr Aifft a pharthau Libya, yr hon sydd gerllaw Cyrene, a dieithriaid o bob math, heb sôn am bobl Pendref a Thwrgwyn a Seion a Salem, Capel y Graig a'r Gadeirlan draw—yn wahanol i'r rhain i gyd, mae'n rhaid i mi glywed hwn yn llefaru mewn Saesneg Rhydychen

141

y tridegau am 'fawrion weithredoedd Duw'. Acen grach-academaidd y cyfnod hwnnw gan ŵr o'r enw Murphy!

Pa briodas ryfedd a ddaeth â'r Iddew a'r Groegwr ynghyd yn eu tras? Yr Ysbryd, fel arfer, yn mynnu chwythu lle y myn—ond pam nad i'm cyfeiriad ieithyddol i? . . . *Holy, holy, holy* . . . Fedra i ddim—faint bynnag dria i—ymateb yn llwyrfryd i hynna fel i 'Sanctaidd, sanctaidd, sanctaidd'. Mae f'ymateb i rŵan yn ddryswch o ddrwgdeimlad a gwrthryfel, o hen atgofion y genedl am oresgyniad a throi allan, am y Faenol a'r Wyddfa, am Ddegwm a Llyfrau Gleision, ac o rai'r tylwyth a'r teulu a minnau'n bersonol am snobyddiaeth y meistri chwareli, ac athrawon aliwn, trahaus—a'm snobyddiaeth innau tuag at acenion y gynulleidfa a'i methiant i ynganu'r *H* yn *Holy* . . .

Ymunaf â'm pen yn y ddefod, ond fy nghalon wedi'i pharlysu gan wrthnysigrwydd. Y geiriau heb y Gair.

Yna, mae'r hen begor yn codi oddi ar ei gadair ar ôl aros ynddi hyd yn oed wrth bregethu'n goeth, a dyfynnu Merton yn bwrpasol. Mae'n tynnu ymlaen, druan . . . ei wallt yn britho, ei ddannedd yn hir, ei gefn yn wargrwm, ac eto mae iddo ymar-weddiad urddasol, sicr, di-ildio, a'r gallu i ostwng ei liniau anystwyth a phlygu pen mewn addoliad. *This is my body*: 'Hwn yw fy nghorff'. Mae'r geiriau'n fy nghyffwrdd, a'r Gair yn daearu ac yn gwisgo cnawd eto. Gwae fi pe mynychwn addoldy er mwyn gau-dduw'r iaith. 'Ceisiwch yn gyntaf . . . a'r pethau hyn a roir ichi yn ychwaneg.'

Tybed? Ac ymhle? Cymru Babyddol Gymraeg? Nid llyncu'r gweddill, wrth reswm, ond priodas. Hwyrach, rhyw ddydd. 'Daw tatws newydd ar bren 'falau'! Ond iddo Fo mae hynny. Fo, sydd yma rŵan, ar ffurf bara a gwin fel yr oedd O ar ffurf ac mewn sylwedd dyn ar yr hen ddaear yma bron ddwy fil o flynyddoedd yn ôl—nid dim ond sôn amdano a'i fawrion weithredoedd.

Our Father . . . a minnau'n adrodd gweddi'r teulu mewn iaith wahanol, yn weddol ddistaw rhag tarfu ar y lleill. Yr un geiriau o ran ystyr, i'r un Tad ag sydd ym Mhendref a'r lleill. Yno mae un o wyrthiau'r Pentecost yn ei amlygu'i hun i mi o bell rŵan. Ond yma, er fy ngwaethaf, mae'n rhaid i mi o leiaf lynu. Glynu wrth yr etifeddiaeth ddiriaethol, fyw a fu yma ers geni fy nghenedl mewn gras, ac a draddodwyd i mi, drwy erlid ac alltudiaeth, drwy Rufain ac Iwerddon, ac sy'n bresennol heddiw'r bore yn nwylo'r

henwr truan, alltud, unig yna, sy'n medru troi'r bara a'r gwin—
'ffrwyth y ddaear'—yn Gorff a Gwaed Iesu Grist, perl y nef;
gweinyddu'r Swper Olaf unwaith eto, a gwrando a maddau
pechodau yn enw Duw.

Mae'r Pen yn medru pontio rhwng nef a daear. Ond O! mor
anodd ydy pontio rhwng y fan yma a Phendref a Thwrgwyn. A
phwy sydd eisiau hynny, hwyrach, ond myfi druan, sy'n
anghyflawn fel yr wyf, a'm calon yn hollt heb y ddau draddodiad,
yn meddwl mai dim ond felly yn wir y caem ni, Gymry Cymraeg,
gyflawnder y Ffydd unwaith eto. Tra'n disgwyl a gweddïo am
hynny, rhaid imi ddiolch i bob Oswald balch a Murphy tlawd am
eu cyfraniad, yn ogystal â diolch i Dduw am y cyfoeth o
ddiwinyddiaeth braff a dysg grefyddol Gymreig sy'n fy nghlustiau
ers dyddiau fy mebyd, ac sy'n dal i'm cyrraedd ar y nodau pêr a'r
cymeriadau glân sy'n arllwys o Bendref a Thwrgwyn a Seion
rŵan wrth imi geisio cael hyd i'r ffordd orau adref.

(Ysgrif yn *Barn*)